El mundo se acaba todos los días

Fernando Marías

El mundo se acaba todos los días

ALIANZA EDITORIAL

Calle Juan Ignacio Luca de Tena, 15;
28027 Madrid; teléfono 91 393 88 88
www.alianzaeditorial.es
ISBN: 84-206-6640-8
Depósito legal: NA-1.909-2006
Composición: Grupo Anaya
Impreso en Rodesa, S. A.
Printed in Spain

Tu nombre en mi silencio

Supe que vas a morir, y apenas conocí la noticia escapé de mi encierro para venir hasta ti. Quiero abrazarte por última vez. Lo necesito.

Ignoro si han iniciado mi persecución. Podrían estar haciéndolo, acecharme en este preciso instante. Para tranquilizarme me repito que no soy importante, que no dañé a nadie al huir; que no soy importante, que no dañé a nadie al huir... Pero tal vez me equivoco. Podría ser al revés.

Todo podría ser al revés.

Llegué a este pueblo de la costa que elegiste para tu retiro hace tres días, tal vez solo dos. Podías haberte aislado en un lugar desconocido, mantenido en celoso secreto, pero para mi sorpresa tu domicilio es de conocimiento público. Al fin y al cabo, sigues siendo la gran estrella de televisión que fuiste: popular, bella, frívola y comprometida al tiempo, imprevisible... Y por supuesto, irremediablemente vanidosa. Fue fácil encontrarte.

Y aquí estoy, y aquí estás... Aquí estamos, lejos de la civilización maldita, de la ciudad venerada, vivificadora y mortal. Con todo derecho podemos llamarla así, ¿verdad, amor? Tú y yo, sí.

Alquilé un pequeño apartamento de pago semanal. Dejé mi bolsa en el suelo del recibidor, sin echar siquiera un vistazo al resto, y fui de inmediato a buscarte. Sentía el valor para atreverme a ello, y debía aprovecharlo. Pero las fuerzas se fueron diluyendo a medida que ascendía por callejuelas de paredes blancas, con tiestos llenos de colores, y se derrumbaron ante la visión de tu casa: un chalecito individual, humilde, de construcción antigua muy cerca de la playa, limpio y nada ostentoso. Ciertamente, has debido de cambiar mucho en este tiempo.

No llamé a tu puerta. No me atreví esa noche ni a la mañana siguiente. Ni la noche del día siguiente ni la otra mañana. Ni ayer por la noche ni ahora, con el sol alto y el rumor de voces infantiles sobrevolando esta playa que se extiende a los pies de mi apartamento.

Paso el tiempo en la terraza, ensimismado, buscando el valor para volver a intentarlo. O vago sin rumbo por las calles, con las manos en los bolsillos, recordándote, recordándonos... A la hora de los informativos conecto la tele con la esperanza de que cuenten más sobre tu muerte inminente, esa noticia brutal que hace unos días me noqueó en el comedor, mientras hacía la cola con mi bandeja a la hora de cenar. La locutora adoptó un gesto grave al finalizar la sección de deportes:

Y ahora, una noticia dramática y triste relacionada con nuestra profesión: Amparo Sanz Valles, la popularísima presentadora de televisión, durante años compañera de esta casa, ha anunciado que el cáncer que padece ha entrado en su fase terminal, y que vive por tanto los últimos días de su vida.

Decidí venir en el acto.

Y aquí estoy, resuelto a todo. También a superar el miedo.

En uno de mis acobardados paseos arriba y abajo, creo que fue el segundo día, me detuve a comprar una botella de ginebra. También botellines de tónica, vasos, un abridor y una bolsa de rejilla con tres o cuatro limones. Me disponía a pagar en la caja del supermercado cuando sentí un escalofrío. Intuí que me vigilaban. Inexplicablemente, supe que el espía se ocultaba tras la estantería de los yogures, y alcé la vista para sorprenderlo. No vi a nadie. Sin embargo, sé que estaba ahí. Sin ninguna duda, he visto al hombre al que no he visto. Con toda seguridad, me acechaba mientras compraba la ginebra. ¿Se trata de la avanzadilla del grupo que al final me dará caza?

La botella está ahora ante mí, sobre la mesa del saloncito. Horror líquido tras el vidrio de forma armoniosa, adornado por una etiqueta elegante cuyo diseñador habrá cobrado un buen pico. Se diría, se podría decir, que también la botella me observa a mí. Dos horas mirándonos, puede que tres. Hablándonos en silencio, hablando yo y ella escuchando. Tres horas, puede que cuatro: hay amores que se llaman eternos y son menos intensos.

La casa contiene lo esencial. Es un apartamento aséptico, sin muebles, con una cama y una mesilla en la habitación; el tresillo y una mesa baja en la parte del saloncito que da a la terraza, y al otro lado cuatro sillas y una mesa de comedor, sobre la que he dispuesto mi material básico de dibujo. Una precisa representación de mi vida. Todo lo que soy y he sido está aquí, en esta desnudez expresiva:

El papel y los lápices.

La botella.

Tú y los recuerdos que despiertas en mí. Tú y la desgracia que no mereces sufrir:

La entereza de Sanz Valles ha conmocionado a la opinión pública. Su libro Televisión y sangre*, mitad autobiografía, mitad ensayo, es una reflexión desgarrada y valiente. «He matado a gente inocente y quiero confesarlo antes de partir.» Así comienza este relato tan breve como intenso, que está conmoviendo por igual a profesionales y no profesionales del medio.*

Conocer la existencia de tu libro me desasosegó. Tenía que leerlo, saber qué decías en sus páginas sobre mí y sobre nuestra relación. Ese impulso me aguzó el ingenio para escapar. Ahora lo tengo conmigo, frente a mí, sobre la mesa, envuelto en el papel opaco de la librería donde lo compré. He logrado reprimir el deseo de abrirlo. Quiero leerlo aquí, lejos de la ciudad y cerca de ti, saber en este lugar, y no en otro, qué hay tras esas palabras terribles:

He matado gente inocente y quiero confesarlo antes de partir.

Todo parece formar parte de un drama listo para el ensayo general. Hace mucho que no tienes papel en esta vieja escena, tantas veces representada a lo largo de mi vida, pero hoy voy a escribirlo para ti. Un papel femenino, una sola línea de texto, una palabra. Tu nombre, que premeditadamente he evitado pronunciar en todo el tiempo de nuestra separación. Decirlo es una frontera trascendental, el vértigo de querer sentirse funámbulo ante un cable invisible, a mil metros de altura sobre mi futuro sin red. Todas mis esperanzas últimas viven fiadas a la palabra que pronuncio muy bajo, despacio, consciente de que estoy haciendo exactamente lo que estoy haciendo.

Decir tu nombre en voz alta:

–Amparo.

¿He sonreído al susurrarlo? ¿Me ha dado miedo? ¿Esperanza?

Las tres sílabas resuenan en el silencio y luego, al diluirse, sus ecos trazan la estela de una náusea por las paredes de mi estómago y también un leve temblor, probablemente imaginario, en el aire del apartamento. Tu nombre, además de ser tu nombre, contiene la idea de protección: ampararse, ampararme... Un lugar a salvo de todo, donde guarecerse de la tormenta de rayos y truenos que antes o después se desencadenará. Al callarlo durante meses, al guardarlo en mi interior, imaginaba que de algún modo seguías a mi lado, y alimentaba esa ilusión con cabezonería inexplicable y grotesca. Si alguien cerca de mí lo pronunciaba por casualidad, inocentemente, mi interior se revolvía temeroso de que tu fantasma se desvaneciera para siempre, sin remedio; si lo decían en la tele o en la radio, o lo veía impreso en algún libro o periódico, me apartaba irritado, como si las letras de tinta quemaran. Y no digamos si me presentaban a otra mujer llamada Amparo... La rehuía sin razón, de repente, fuese quien fuese, ofendiéndola si era necesario. Escapaba de Amparo, de todas las Amparo, de cualquier Amparo; porque su proximidad podía espantarte, precipitar que esos recuerdos últimos que todavía impregnaban mi corazón me abandonaran sin esperanza de retorno. Desamparado sin Amparo, escribí en el cuadernito blanco que decidí llevar siempre conmigo, y donde sin embargo no he escrito una sola línea más.

En la cocina preparo una copa.

Vaso bajo limpio, hielo, limón en rodajas... Toda la solemnidad de un primer trago. Ginebra, tónica espumeante, cucharilla larga para remover la mezcla.

Alzo el vaso a la altura de los ojos. La copa parece viva. Se diría que una leve respiración agita el limón y los cubitos de hielo. Espasmos presentidos, aseguraría un pesimista; presagios negros. Las pompas carbónicas son universos ínfimos, afloran a la superficie y mueren en ella con estallidos minúsculos, silenciosos. Su rastro desaparece en la atmósfera de la cocina como las sílabas de tu nombre. El alcohol estuvo a punto de matarme. Ahora yo lo domino a él.

De la pared cuelga un calendario del año en curso, 2015. Alguien, supongo que el anterior inquilino, marcó con un círculo rojo el jueves 16 de julio de 2015. La fecha, o el hecho de verla marcada en rojo, no tiene significado alguno para mí, y quiero dotarle de él. Saco del bolsillo de la camisa el bolígrafo, también de tinta roja. Dibujo un rectángulo sobre el círculo que ese desconocido trazó alrededor de la fecha, lo remarco una y otra vez, robo su simbología y la hago mía:

16 de julio... El día, amor, en que voy a volver a verte.

Regreso al salón con la copa en la mano. La deposito sobre la mesa, a mi derecha, domesticada y vencida por mi voluntad, sabiendo que no voy a probarla, y pongo a la izquierda, buscando cierta simetría, el paquete que contiene tu libro. Me acomodo en el sofá ante esos dos platillos de la balanza. Lo que fui, lo que trataré de ser.

Saco de mi bolsa la reliquia sagrada, el regalo de despedida que me dedicaste al abandonarme. ¿Recuerdas tu carta del adiós? Podría recitarla de memoria... *Nuestros recuerdos podrían llegar a destruirnos...* Y sin embargo, cada vez que la releo me sugiere matices nuevos. Un pesimista lo llamaría obsesión enfermiza, delirio.

Yo sé que se trata de amor absoluto, eterno, inmortal. Verdadero.

Me sumerjo de nuevo en sus líneas. Quiero que sea mi particular y exclusivo prólogo antes de rasgar el envoltorio que contiene *Televisión y sangre.*

Nuestros recuerdos podrían llegar a destruirnos.

Imagina que tuviesen vida propia, Miguel, que fuesen independientes de nosotros, de nuestra capacidad de mentirnos o de recordar las cosas como nos gustaría que hubiesen sido. Si nuestros recuerdos, además de tener voluntad, fuesen malvados, podrían engañarnos premeditadamente.

Y esas mentiras, si nos las creyésemos, llegarían a destruirnos.

Hoy me ha despertado esa idea, esa pesadilla. Soñaba que mi memoria quería hacerme perder la razón, y para ello trastocaba las esencias de mis recuerdos. Por eso, más que escribir este adiós la mujer que soy ahora, va a hacerlo aquella otra que era cuando nos conocimos. Te regalo las páginas de mi diario correspondientes a aquel día de nuestro primer encuentro. Las arranco del cuaderno donde guardo mis recuerdos, y las arranco de paso de mi corazón. Pero antes de cerrarlas en el sobre, las leo por última vez.

No he olvidado aquel catorce de marzo de 2004 en que nos conocimos. ¿Recuerdas aquellos días terribles de Madrid? Parecen tan lejanos como nuestra juventud o nuestra felicidad. Tan irrecuperables como nuestra capacidad de engendrar esperanzas.

Catorce de marzo de 2004.

La estación de Atocha está repleta de gente. Domingo posterior a los atentados, tres días después. Ocho de la tarde, cafetería del vestíbulo de las palmeras. Ochenta y cuatro horas y media transcurridas desde las siete treinta y seis de la mañana del día once. El instante en que perdí para siempre al desconocido.

Revivo el encuentro, lo he hecho muchas veces estos días intensos: miércoles, diez de marzo, a la misma hora, las ocho de la tarde. ¿Llamo flechazo a lo que sentí o sería ingenuo a estas alturas? Tampoco amor, da demasiado miedo la palabra y en todo caso su uso sería prematuro. Dejémoslo en simple mala suerte, colofón de mi pésima racha. Revivo el encuentro otra vez:

La barra de la misma cafetería, miércoles diez, ocho de la tarde. Entro y pido un café. Tengo cita con un músico, autor de un libro sobre la movida madrileña; él mismo tuvo un grupo antes de reciclarse en productor de lujo para cantantes folclóricas. Voy a apadrinar su libro en el Círculo de Bellas Artes, y si hemos quedado en un lugar tan transitado e incómodo es porque él sale de viaje y no vuelve hasta el mismo día de la presentación.

Me reconocen varias personas; uno me pide un autógrafo para su hijo. La tele sigue siendo la tele. De vez en cuando no me desagrada un poco de vanidad satisfecha a ras de suelo. He llegado antes de tiempo. Llevo en la mano La ciudad de las columnas, *de Alejo Carpentier, una edición con fotografías del libro que escribió sobre La Habana. Acaba de publicarse, se cumplen cien años del nacimiento de Carpentier. Es uno de mis autores favoritos, voy a participar en una mesa redonda sobre él y he pedido el libro a la editorial. Un libro minoritario, de culto. ¿Cuántas posibilidades hay de que alguien, con ese mismo libro en la mano, entre al mismo bar que tú y a la misma hora que tú, y se ponga a tu lado para pedir un café?*

Eso, exactamente, preguntó el desconocido cuando nos miramos a los ojos tras comprobar que llevábamos el mismo libro: «¿Cuántas posibilidades hay...?». Era químico de profesión, había vivido en Cuba, le gustaba Carpentier, y tenía su firma estampada en la última página de una vieja edición de El siglo de las luces. *Me propuso mostrármelo y nos citamos al día siguiente, a la misma hora en el mismo lugar. Los dos nos habíamos gustado, a la hora de fijar la cita Carpentier ya daba igual, era la excusa. Me agradó especialmente que no me reconociera. Tal vez no veía la televisión.*

Todas las mañanas, según me contó, subía en las afueras de Madrid a un tren que lo dejaba en Atocha. Esa información me pareció superflua, inocua, sin duda la más anecdótica de nuestra charla, la menos memorable. Pero me equivoqué, aunque naturalmente no podía saberlo. Era el dato más importante, el letal, alrededor de él giraría todo al día siguiente. Por la mañana, apenas supe de los atentados, fue lo primero que pensé. Nuestra cita, él. ¿Cuántas posibilidades hay de que una persona con la que te encuentras por casualidad te haga concebir ilusiones?

El once de marzo sufrí la angustia más anómala de todo Madrid, la peor soledad, la más aislada. Estaba sola dentro de la soledad. Buscaba entre los muertos y los heridos a un hombre a quien no conocía, pero podría haber llegado a amar. Era químico de profesión, había vivido en Cuba, le gustaba Carpentier. Y por culpa de Carpentier ignoro su nombre: «Me llamo como un personaje de una de sus novelas –había dicho, seductor y ocurrente–. Si lo aciertas en menos de tres intentos, te invito a cenar donde quieras». He buscado su rostro entre las fotos de los fallecidos. Los días posteriores a la tragedia, a las ocho, me he presentado en nuestra cafetería, colocando sobre la barra La ciudad de las columnas *como si entrañara algún consuelo o fuera un antídoto contra la realidad.*

Hoy, tarde del domingo catorce, espero contagiada de las vibraciones de ese epicentro del dolor que es la estación de Atocha, sintiendo solo a medias, con alegría anestesiada, la euforia por el triunfo electoral socialista que ya se intuye, y comienza a impregnar las calles. «¡Como en el ochenta y dos!», dice una mujer de mediana edad a mi lado. Me ha reconocido al mirarme, pero por supuesto tiene en la cabeza cosas más importantes que saludarme o pedirme un autógrafo. Hoy todos las tenemos.

La mujer toma de la barra la Coca Cola que acaba de servirle el camarero y se dirige a una mesa donde un grupo de seis personas, hombres y mujeres, sigue el escrutinio por el televisor de la cafetería. Uno de los hombres aplaude con solemnidad inclasificable, triste, cuando por primera vez el partido socialista se pone por delante en el recuento. A una chica del grupo se le humedecen los ojos. Trata de disimularlo. No lo consigue. Me contagia, no puedo evitarlo. Luego me entero de que han querido seguir en Atocha los resultados como homenaje a un amigo que perdió la vida en los trenes. A ellos sí les consta que su querido amigo murió.

–Amparo... –susurro para que no me oiga nadie más que yo misma, como hago siempre que debo decirme algo irremediable que no quiero oír. Y me quedo esperando mis propias palabras, que por fin pronuncio–. Se acabó. Hoy es el último día que te plantas aquí.

–La ciudad de las columnas *–dice entonces una voz masculina.*

Y alzo la vista, más sorprendida que esperanzada. No es mi desconocido, sino otro desconocido.

–¿Te gusta Alejo Carpentier? –pregunta.

¿Cuántas posibilidades hay de que una casualidad asombrosa se repita por segunda vez?

Por supuesto, muy pocas. O ninguna.

Debí de darme cuenta ese día, cuando entablé conversación con este segundo desconocido: tú, Miguel. A diferencia del otro, el químico del que jamás volvería a saber, enseguida te presentaste con nombre y apellido.

–Miguel Ariza –fueron tus primeras palabras, adornadas con una sonrisa–. Dibujante de cómic... Bueno, y algunas cosas más.

Algunas cosas más... Ciertamente, en ese punto no mentías.

Me invitaste a cenar y acepté. No podías sospechar que lo hacía en homenaje al otro, al muerto, o al herido, o al desaparecido, a ese hombre con quien había compartido media hora tres días antes, y con quien viví un presagio de amor cercenado antes de nacer. Siempre te oculté que había aceptado tu invitación por él, aunque tal vez recuerdes que cuando nos sirvieron el plato principal me mareé, y casi tuvimos que marcharnos. Fui al baño, me refresqué la cara, recuperé la respiración antes de buscar mi rostro en el espejo. Deseaba en realidad cenar con el muerto, con el hombre del que ni siquiera tenía la seguridad de que había muerto. Acaso él, en ese instante, volaba tranquilamente hacia otra parte del mundo, o conducía su coche de regreso a casa sin pensar en absoluto que yo lo recordaba, sin a su vez recordarme a mí. O pensando, sería terrible, que yo era una de las víctimas de los trenes de la muerte. Tal vez nos habíamos buscado en los alrededores de la tragedia, dos desconocidos enamorados, ignorándolo todo sobre ese otro ser amado y perdido. Luché por alejar el desasosiego y lo conseguí. Volví a la sala, seguimos cenando.

Nuestro amor, Miguel, comenzó como todos: por casualidad. Pero ese principio careció de inocencia. Lo manchaba el hecho, por supuesto en ese momento irresponsablemente despreciado, de que tú ocupabas el lugar de un muerto. Precisa premonición, ¿verdad? Aquella noche, al volver a casa, debí decirme lo que me digo ahora, mientras te escribo adiós:

Mala suerte, Amparo.

Mi querida Amparo, mi querido amor... ¿Qué habría pasado si nuestro encuentro hubiera sido realmente casual?

Siempre que releo tu carta me lo pregunto.

Sin embargo todo fue falso, todo estuvo preparado por mí. Tú esperabas a otro, tal y como un día acabaste por confesarme. Y yo, que por el contrario jamás te dije la verdad, llevaba semanas espiándote, buscando la manera de propiciar un acercamiento que pareciera eso: casual..., realmente casual. Lo que nunca fue. Lo que siempre pensaste que fue.

A veces, supongo que como todo el mundo, me he visto envuelto en discusiones absurdas sobre la cuestión de si es posible, hoy en día, el amor a primera vista. Siempre callé ante las opiniones de los demás. Qué sabrán todos, decía para mí con sonrisa de superioridad. Porque yo sí te amé nada más verte. Con la misma intensidad con la que te amo aún. Fue a finales de 2003, lo recuerdo como si fuera hoy. Te vi, ¿podía haber sido de otra manera?, en la tele, donde por entonces reinabas. Sabes que muy rara vez enciendo el televisor, pero aquel día, aquella noche más bien, zanganeaba saltando de cadena en cadena, o preparaba el DVD para ver alguna película.

De pronto, irrumpiste en la pantalla.

En el acto te hiciste dueña de mi mirada, la absorbiste como solo consiguen hacerlo las estrellas de cine, las que verdaderamente lo son, en su aparición deslumbrante. Hablabas a cámara, a toda la audiencia, pero yo sentí que te dirigías en exclusiva a mí. Y no eras un busto parlante del telediario, anodino y gélido. Imponías tu personalidad en la locución, gesticulabas, subrayabas determinados pasajes con muecas expresivas y fascinadoras. Eras tú sobre el medio. Tú por encima de la televisión. Jugué a intentar definir las causas del hechizo que ejercías en mí.

La voz era esencial. Tu modulación inimitable, ligeramente impostada, entrenada para pronunciar con nitidez absoluta, derivaba en una emisión desmayada de la última sílaba, lo que se traducía en una suerte de arrogancia ronca, retadora, sexual, que rubricabas frunciendo levemente los ojos al clavar, me parecía que con renovada intensidad, tus ojos sobre mí. Eras una inteligencia erótica, una convicción que despertaba el deseo, y también una hembra sádica que se proclamaba superior, por completo segura del sometimiento con el que esclavizabas al entorno masculino y, ¿por qué no?, también al femenino. Cuando comenzó el debate me desentendí del programa, pero volví a él la noche siguiente.

La primera prueba de fuego fue comprobar que no habías sido un sueño. Y efectivamente allí estabas, con tu languidez cálida impregnando las sílabas últimas. Te vi sonreír al comenzar el programa; una sonrisa limpia, luminosa, que sin remedio se me antojó breve porque, dada la seriedad del debate que ibais a abordar, enseguida la borraste respetuosamente de la cara. Recostado en el sofá y mecido por tu voz, me fijé en tu pelo, que esta vez tenías recogido; en los rasgos de la cara, en los ojos clavados sobre mí, en la expresividad de las manos; la víspera llevabas las uñas sin pintar, pero esta vez lucías un esmalte rojo brillante, lo que me desconcertó y excitó: en tu previsiblemente apretada agenda existía un hueco, tal vez prioritario, para la coquetería. Fui voyeur siendo consciente de que era voyeur, asombrado de mí mismo y de mis reacciones, que analizaba con afán sincero de conocerme mejor.

La televisión es una curiosa fuente de erotismo. Tiene reglas propias, cercanas en algunos aspectos a las del cine pero esencialmente distintas, exclusivas. Lo vetado e invisible pero imaginable se vuelve cruelmente protagonista, porque, desde la pantalla, el objeto de deseo ni siquiera es consciente de la existencia del enamorado. Hablabas de terrorismo o de fluctuaciones bursátiles sin imaginar que al otro lado, en mi casa, yo era incapaz de apartar los sentidos de ti. La resolución que derrochabas, la brillantez carente de pretenciosidad de tus intervenciones me embrujaba y resultaba irritante a la vez. Decidí llevar tu persona al campo de juego del machismo más primitivo. ¿Cómo era tu cuerpo? ¿Qué sensualidad desprendían tu carne y tus formas, tus movimientos? ¿Cuál era el porcentaje de objeto sexual contenido en la mujer que me dominaba desde el televisor? Pero el plano medio te mostraba solo de cintura para arriba, tras la mesa de moderadora.

Jugando –siempre jugando, solo jugando– al espía, te busqué una mañana en Google: «Amparo Sanz Valles», 11.476 entradas. Las revisé sin prisas, hallando referencias múltiples a tus participaciones en mesas redondas y conferencias sobre el mundo de la televisión. No había una sola imagen de cuerpo entero, no había una sola fotografía frívola de ti. En cambio, me gustaron tus declaraciones colgadas en la red. Seducías y, lo más difícil, no defraudabas. A veces, cuando una persona me atrae y logro conocerla, me pregunto invariablemente cuánto tardará en decepcionarme con una opinión, una actitud, un gesto, un simple comentario fuera de lugar... Tú nunca lo conseguiste, o yo nunca conseguí que lo consiguieras.

Lo dibujé todo. Fue mi válvula de escape. Doce planchas con ilustraciones en blanco y negro, la odisea de un hombre loco de amor por una locutora de televisión a la que persigue por distintos programas y cadenas de televisión a lo largo de los años. Quedó una historieta sórdida, pues yo volcaba en el papel todas las ocurrencias indignas, obscenas, que nunca puse en práctica en la realidad. ¿O fue eso, dibujarlas, la manera de ponerlas en práctica? La historieta ganó un premio internacional, curiosamente al mejor guión, y un cineasta francés se interesó por los derechos para hacer una película que finalmente nunca se rodó. Solo tú llegaste a saber que estaba basada en un hecho real. Te lo conté una tarde, cuando ya estábamos juntos y éramos felices, cuando cualquier confesión, por sombría que pudiera ser, desembocaba en risas y abrazos sexuales de amor.

Un día, de la forma más insospechada, casi ridícula, accedí a contemplar tu figura de cuerpo entero. Aguardaba turno para cortarme el pelo en la barbería, y con el fin de ocupar el tiempo cogí una de esas revistas del corazón que siempre hay en las salas de espera. Para entonces, ya era un seguidor fanático de tus debates, de tus miradas y de tus desmayos vocales, y por tanto mi intuición saltó apenas vi el reportaje de tus vacaciones en la playa. «Amparo Sanz Valles pasa unos días de descanso en un pueblo de la costa.» Pienso ahora, por cierto, que ese titular podría servir, añadiéndole el tinte siniestro de la muerte que te ronda, para el momento actual. Pero entonces me sumergí en esas fotos, tres en total, como el investigador ante el microscopio donde puede aguardar el gran hallazgo.

Eran fotos capturadas con torpeza y objetivamente carentes de interés, pero en ellas estabas tú, por fin, de cuerpo entero. Lucías un cuerpo esbelto, no espectacular pero sí hermoso y apetecible, de coherencia serena con tu seguridad e inteligencia. Me gustaste, y me tranquilizó que me gustaras. Por nada del mundo habría querido que la posible decepción proviniera de incompatibilidades de atracción física. Sí, Amparo, así de profunda, aunque también inofensiva, era mi obsesión. Sin embargo, lo que más me gustó del reportaje, la información crucial que contenía, era de otra índole, y de nuevo tenía que ver con tu dominio del entorno. Este tipo de fotos, ambos lo sabemos, son una agresión del más bajo rango, que en muchas ocasiones buscan el ángulo más desfavorecedor de la víctima. Pero tú, en tus tres fotos, una paseando al borde del mar, otra sentada, fumando pensativa, y la tercera ojeando un periódico que apoyabas sobre la arena, lograbas mantener tu invicta superioridad sobre la mezquindad patética del fotógrafo. Tu calma interior ratificaba su infamia despreciable. Lo convertías en inexistente, en pulga de playa, en brizna de polvo sobre la cual, tras meditarlo, decidías que no merecía la pena escupir. Podrías haberlo aplastado, se intuía; lo aplastabas de hecho, se veía. Como acababas de aplastar mi grosera curiosidad primaria. Parecías indestructible y probablemente lo eras; entonces, al menos, sí. Cerré la revista, sintiendo que me aliaba contigo frente a todos los buitres de la prensa rosa, y esa noche, al sentarme ante tu programa, me henchía el absurdo orgullo de haber estado junto a ti, de haberme alineado a tu lado en alguna lucha que no sabía catalogar.

A las pocas semanas coincidí en una mesa redonda con un productor de tu cadena de televisión. Tuve suerte de que fuera un gran aficionado al cómic. Me preocupé de que simpatizáramos, quedamos a comer alguna vez, nos cruzamos correos electrónicos. Le dije que quería enviarte uno de mis libros y, puesto que ciertamente no parecía que hubiera motivo para su desconfianza, me facilitó la dirección de tu casa. Así te espié y te seguí. Observándote, nada en ti me decepcionaba. A veces he pensado que el amor verdadero es eso. Una simple línea recta, aunque casi imposible de mantener: la de la *no* decepción, la de la *nunca* decepción.

El día que finalmente te abordé meditabas en la cafetería de la estación de Atocha, ensimismada ante la barra. Era domingo, aquel domingo histórico de la victoria socialista tras el 11-M. No participabas del bullicio, algo te pasaba; nunca me dijiste qué, hasta esa confesión de tu diario. Pude haber intentado el acercamiento mediante algún comentario sobre la jornada, o sobre el lugar donde nos hallábamos, pero eso habría sido vulgar. Me habrías rechazado, lo sé ahora, igual que lo supe entonces. Sin embargo, llevabas un libro que fue mi salvación. Te hablé del autor, al que claro está que conocía, y me contestaste. El libro nos aisló del mundo de alrededor. Y ayudó al éxito de la operación el hecho de que yo fingiera no conocerte. Eso, estaba seguro y me lo confirmaste después, picó tu vanidad de presentadora de televisión y estimuló tu curiosidad.

Ya ves, no solo tú engañaste aquella primera noche, Amparo.

Y sin embargo, el amor fue a primera vista y para siempre.

¿Importa lo demás?

Dejo la carta, salgo a la terraza, rememoro ante el mar el viejo hilo de mis pensamientos. Cuando supe que quien había primado en tu cabeza el día que nos conocimos era el químico cubano, mi vanidad se sintió herida. No pude evitarlo. Siempre he sido un niño, ya lo sabes. Incluso cuando dejé de serlo. O sobre todo cuando dejé de serlo, solías señalar al principio en broma, cariñosamente.

Siempre soñé con adaptar al cómic la novela de Joseph Conrad *La línea de sombra,* un libro que me fascina por el concepto contenido en su título. La línea de sombra es el momento brevísimo, de ubicación imprecisa, en que un niño se convierte en hombre. Muchas veces me he preguntado si alguna vez crucé mi línea de sombra. Ahora sé que, si llegué a hacerlo, fue demasiado tarde.

Un niño que no crece acaba por convertirse en un ser anormal, distinto, un enano del espíritu que nunca encajará en los esquemas sociales. Hay muchos monstruos así en nuestra sociedad. Yo soy uno de ellos. Solemos pasar desapercibidos, a menos que el infantilismo crónico, tras azarosas aberraciones evolutivas, arroje, por ejemplo, una personalidad criminal que dé rienda suelta a los instintos. Pero la mayoría somos, simplemente, seres despreciados por la gran caja registradora del mundo. No contamos en el balance. Números rojos que nadie cubrirá nunca.

Durante años estuve orgulloso de esta característica, de la que era inconcretamente consciente. Había cierto poso romántico en las dificultades que me topaba en mi camino hacia el éxito como dibujante, y ninguna reflexión crítica sobre mis posibles errores de actuación. Los niños no saben de estrategia, ni de cálculo, ni de previsión. Los niños saltan, corren, ríen, eyaculan un día y ya no quieren dejar de hacerlo. Chapotean felices en esa inmortalidad engañosa que ellos perciben como verdadera, y de ninguna manera sospechan que el paso del tiempo los convertirá segundo a segundo en seres marginales y casi con seguridad patéticos. Cualquier día se encontrarán solos, desnudos bajo una lluvia de barro y quebrados por una melancolía feroz, sin garbanzos que marquen sobre la tierra el camino de regreso al hogar de la felicidad pasada, que a estas alturas será ya, como mucho, un recuerdo desintegrado en ninguna parte.

Yo dibujaba –y también bebía, no lo niego– a salvo del mundo, transitoriamente invicto y falsamente invencible. Esa era mi vida. Y transcurría en Madrid, la ciudad de los sueños realizables.

Llegué a esta ciudad amada, la ciudad única, en 1985, a mis diecisiete años, loco de hambre de mundo. Que hayan transcurrido tres décadas hasta este 16 de julio enmarcado doblemente en el calendario de una cocina perdida se me antoja imposible. Pero así están las cosas. Quiero seguir siendo un niño, pero la realidad es mi enemiga y me lo impide.

Hay en Madrid un sanatorio mental para las víctimas de la locura alcohólica. Ingresé allí en varias ocasiones, algunas casi inconsciente, arrasado por mí mismo en aquel tiempo triste de la vorágine afortunadamente superada. Imágenes fragmentadas de la primera vez siguen aferradas a mi memoria: un pasillo largo, con el suelo cubierto de grandes baldosas deterioradas y ventanales a uno de los lados; luz sesgada del sol mortecino, era un atardecer del inicio de la primavera; un jardín verde con paseantes solitarios de miradas devastadas, atónitas, que me dieron miedo; y antes, un traslado en taxi con alguien que me apretaba la mano, una lucecilla de consuelo al otro lado del maremoto interior: en ese instante, pensé que eras tú; luego supe que fue un vecino quien me había auxiliado al hallarme desvanecido en el rellano... Flota también el recuerdo vago de un enfrentamiento con los celadores ante el mostrador de recepción. Me atacó el pánico, me explicaron luego. Tuvieron que reducirme.

A los dos o tres días, tal vez más o tal vez menos, convertido ya en paseante solitario del jardín verde otro atardecer de primavera, divisé la mole azul y amarilla del edificio situado frente al sanatorio. No sé, ni he sabido nunca, qué hay en su interior, pero otro paseante me explicó que años atrás la mole, entonces gris y siniestra, había sido la cárcel de Carabanchel. Había pájaros de pelaje blanco y negro sobre el césped. A lo lejos, una paciente recogía piñas de madera que habían caído de los árboles y las transportaba, con tesón y mimo dementes, hasta el otro lado del jardín. Esa noche se adelantaba de forma oficial la hora, como al inicio de todas las primaveras, y me entretuve ejecutando la operación con la mayor parsimonia posible.

Me puse a adelantar sesenta minutos las agujas de mi reloj de pulsera.

Recuerdo que en aquel jardín verde cada interno alargaba al máximo la ejecución de cualquier actividad que fuera capaz de concebir. A menos de doscientos metros, en el mundo normal, había un centro comercial abarrotado de locales, cines, hamburgueserías y tiendas de ropa con la música de moda a todo volumen, pero nosotros no teníamos más entretenimiento que contar las nubes. En el cielo primaveral de aquel día corrían desbocadas, como si también se quisieran acompasar a la hora oficial de la gente normal.

Los segundos caminaban hacia delante por el roce de la yema de mi dedo. Las seis de la tarde iban a ser las siete. A las seis y veintitrés, lo recuerdo con claridad, me golpeó la alucinación. Detuve las manecillas, sumido en inexplicable sintonía con el silencio repentino de la atmósfera.

Miré hacia el edifico azul y amarillo. Entonces, sin razón alguna, comencé a realizar la operación al revés. Eché hacia atrás las manecillas, divertido por la ocurrencia de retar a la hora oficial, de atrasar el tiempo cuando todos lo adelantaban. Las seis y veintitrés volvieron a ser las seis. Una frontera. La traspasé: seis menos cinco, seis menos diez... Jugué a pensar que echaba efectivamente el tiempo atrás... Semanas, meses, años... La mole azul y amarilla se volvía gris. La cárcel, retornando, albergó de nuevo a hombres desesperanzados de futuro arrebatado, contaminados de colores descoloridos. Sus días interminables languidecían sin libertad y avanzaban, prodigiosamente resucitados, hacia el instante en que un furgón los trajo por primera vez a la prisión. Tiempo hacia atrás, tan carente de sentido como el otro. La paciente de las piñas me miraba como si me hubiera vuelto loco.

Las manecillas giraban vertiginosamente en mi imaginación. Me vi joven y limpio, llegando ilusionado a Madrid. Reviví el instante en que tomé, siendo adolescente, la primera copa de mi vida. Ahí me detuve, estupefacto y sin valor para seguir. La añoranza brutal por el tiempo de la inocencia pudo haberme matado, y elegí volver con mansedumbre a mi prisión de realidad. Manipulé las manecillas del reloj hasta que marcaron las siete: hora oficial, hora buena, hora de los seres normales... Tiempo falso, infinitos sentimientos contenidos en él. Tiempo real: lo único que tenemos, junto al cuerpo que nos corresponde y la incertidumbre que por fuerza ha de venir.

A los niños se nos debería explicar que no hay nada más. ¿Por qué nadie nos lo advierte?

Suspiro con fuerza. Soplo para alejarme de mi propio fantasma. Aparto el recuerdo del niño que fui, temeroso de que retorne malvado.

Y regreso.

Estoy otra vez de pie en la terraza, este 16 de julio de 2015, mirando el mar desde mi apartamento. Los dos resultan físicamente verdaderos dentro de esta coctelera de tiempo que es mi mente. Tal vez porque lo son.

De repente, me sobresalta el miedo.

Otra vez está aquí el hombre al que vi ocultarse tras la estantería de los yogures, mientras compraba la botella. Acabo de volver a verlo, de nuevo sin llegar a verlo, bajo mi terraza. Hace un instante, al asomarme y apoyar los antebrazos sobre la barandilla.

He sabido que estaba ahí una décima de segundo antes de mirar. Y también, antes de mirar, he echado bruscamente el cuerpo hacia atrás para que no me viera. Me he ocultado, y él ha hecho lo mismo. Yo sé de qué me oculto, de qué soy culpable. ¿Y él?

Nuestro movimiento paralelo, percibido sin llegar a verlo, me ha recordado aquella película en que uno de los hermanos Marx gesticulaba ante lo que él creía un espejo, cuando en realidad otro personaje vestido como él imitaba sus gestos para que creyera precisamente eso, que se hallaba ante un espejo. El mudo de los hermanos, acabo de acordarme, el pelmazo que tocaba el arpa, vestido con un camisón largo. El hombre de los yogures, lo sé sin haberlo visto, lleva un pantalón claro, liviano, y una camisa azul de manga corta. Como yo, como tantos otros en este pueblo de verano.

Me atrevo a asomarme otra vez. La playa está llena de bañistas, aunque se mantiene razonablemente silenciosa. Una playa atestada es uno de los pocos lugares públicos donde el ser humano no hace excesivo ruido, ignoro por qué. El aire se lleva los sonidos, los convierte en un rumor empastado, incluso no del todo desagradable. Este escenario donde vence el silencio tiene inevitables ecos de la propia infancia, de una infancia universal y feliz. En una playa como esta empecé a dibujar. Chicas en biquini, un verano de la adolescencia. Sexo y líneas rectas, dos de mis constantes como autor; eso dijo una vez sobre mí un experto francés en cómic: líneas rectas a punto de curvarse. Mi constante, también, como persona.

Entro al salón sin haber dedicado una última mirada al cielo azul o la playa cercana, al mar en calma salpicado de cabezas de bañistas. Me resultan indiferentes, pero si me fijase en ellos los odiaría.

Abro uno de los cuadernos y tomo el lápiz. Dudo, todavía me tengo miedo con un lápiz en la mano. En la época anterior a mi curación, cuando empezaba a dibujar acababa por concentrarme y sentirme feliz. O mejor razonablemente pleno, razonablemente vivo; feliz es mucha palabra para alguien como yo. Y tras los primeros trazos el lápiz comenzaba a deslizarse como si no precisara de mi impulso, henchido también de imaginaria vida. El lápiz, intuitivo, corría eufórico sabiendo hacia dónde se dirigía, y pronto me hacía comprender que una copa le daría alas durante unos pocos minutos. Al lápiz le entraba sed. El lápiz bebía por mi boca y mi garganta, y entonces surgía el peligro dentro de mí. Pero esos pocos minutos de alas, lo reconozco a pesar de todo, eran álgidos y adictivos, salvajes. Lo mejor que he experimentado.

Mientras consiento que fluyan mis recuerdos, por suerte ya inofensivamente, boceto el rostro de mi famoso personaje Guillermo Gervás, alias *Nocturno*. Sigo el proceso de siempre: primero la frente, una línea recta rápida, y luego la coronilla y la nuca, sendas líneas también rectas. Gracias a mis líneas rectas he ganado premios internacionales y dinero. Tras la cara dibujo el cuello alzado del abrigo negro, que cubre a Nocturno como una capa de héroe clásico, y me detengo a estudiar el resultado: líneas que no son rigurosamente rectas. Engañarían a un lector, pero no al creador del personaje, no a mí. Todavía dibujo mal, con torpeza, lo que quiere decir que la abstinencia de la medicación, interrumpida al huir, continúa pasándome factura. Me muevo anestesiado, a cámara lenta, y para espabilarme resuelvo salir en tu busca. Sospecho que aún no tendré el valor de llamar a tu puerta, pero preguntaré por ti hasta encontrarte, y luego te observaré con emoción, en secreto. O te espiaré, llámalo como quieras, mientras me armo de valor y busco las primeras palabras del terrible y necesario reencuentro.

Salgo a la calle. Las manos en los bolsillos, la mente en el pasado y el futuro, el corazón atenazado por una incertidumbre imprecisa o dual: ¿qué temo más? ¿Tu ausencia o tu cercanía? Tras de mí, encerrada en el apartamento, dejo la balanza con los dos platillos en pugna: tu libro, que ansío leer y sin embargo no leo, y la botella a la que vencí.

Aprieto el paso para salir de la plaza del pueblo donde, tras unos minutos, he terminado por desembocar. Hubo una época en que luchaba para no detenerme a mirar cuando pasaba ante las terrazas de los bares.

¡Vuelve la vista! ¡No mires hacia los vasos!

Trucos del centro de desintoxicación, cada uno tiene los suyos. No sirven de nada casi nunca. Pero de pronto uno de ellos, el más estúpido de todos los que te han explicado, el más risible o el que más te ha encolerizado, funciona. Por ejemplo, este: no mirar a los vasos llenos. No tengo idea de por qué, pero a mí me servía. Durante la época de la oscuridad olvidada, no veía personas en las terrazas de los bares ni alrededor de las mesas, sino únicamente vasos sobre ellas. Vasos llenos. Los seres humanos no contaban, ni siquiera parecían existir. No había familias con niños, ni parejas enamoradas, ni grupos de amigos, ni camareros apresurados. Solo vasos llenos como aquel que robé, ¿recuerdas que te lo confesé?, un día que se me había acabado el dinero y el camarero, conocido del barrio y comprensivo, pero harto de soportarme, se negó a servirme más. Por hacerme un favor, explicó. Por mi bien. Hasta mi esquina de la barra llegaba el bullicio de una despedida de soltero que tenía lugar en el bar. Aproveché un descuido, robé una de sus copas y salí corriendo. Literalmente. Escapé a la calle con el botín, pero ni se molestaron en perseguirme, no debieron darse cuenta. El vaso cayó al suelo y se rompió. Un matrimonio mayor que paseaba me miró con gesto de reproche, o de lástima. Buena metáfora: huyes y pierdes todo lo que tienes, que resulta ser nada. Suponiendo que un vaso roto no sea menos que nada.

Salgo de una calle empinada que da a otra plaza.

Y de pronto, amor, te veo.

Tú, de repente. Tú, sin duda.

Vestida de blanco, bronceada, bella como siempre o más que siempre, plena a pesar de la muerte inminente. Cubres tu cabeza con una gorra de larga visera también blanca, bajo la que recoges la cabellera. Te encuentras comprando en el puesto de frutas de otra plazoleta, esta mucho más pequeña que la anterior. Estás relajada, no me imaginas cerca. El frutero te entrega una bolsita transparente con naranjas y melocotones, cuatro piezas de cada. Sonrío: los colores de las frutas combinan bien entre ellos, y también con los tonos de tu piel y de tu vestido. Todo lo externo, como siempre, es armonioso en ti.

¡Qué hermoso si ambos, sobre todo yo, fuéramos más parecidos a los demás! Imagino que soy tu feliz pareja estable, y que has salido de casa antes que yo para adelantarte a comprar un poco de fruta; vengo a recogerte, camino de la playa. Escena cotidiana de la obra de teatro más universal, que podría titularse *La normalidad*. El mayor éxito de todos los tiempos, le gusta a todo el mundo.

Pero en nuestro caso no es posible. Te amo y sin embargo me oculto de ti, te espío. Temo que te gires y me descubras antes de tiempo, antes de que reúna fuerzas para acercarme y hablarte.

¿Qué pasará por tu cabeza? ¿Importo en el orden de tus pensamientos? ¿Me odias, me amas? ¿Me has olvidado? La verdadera pregunta es más terrible: ¿te gustaría ser capaz de olvidarme?

¿Echarías el tiempo atrás para borrarlo todo, para borrarme?

Yo no. Al contrario, daría lo que fuera para volver a disfrutar cada instante de nuestro amor. Por supuesto, también para tratar de evitar el *gran instante negro* que devastó nuestras vidas.

La calle por la que te sigo es estrechísima y seguramente bonita, bonita para la gente normal; muy típica, con sus tiestos llenos de flores en las ventanas y su bullicio de felicidad. Por supuesto, contiene bares; tres o cuatro a cada lado, todos atestados. Lo primero que percibo es el ruido de vasos, el jolgorio que siempre se genera alrededor de los vasos.

Siento, sin previo aviso, un latigazo de sed. Levísimo, pero suficiente para alarmarme. No debería haber ocurrido. La tentación terrorífica se halla enterrada bajo la losa de años de resuelta abstinencia. Pero los lugares de veraneo pueden encerrar trampas mortales. Todo encierra peligros si el problema viaja contigo, explicaban los médicos. El simple ruido de vasos, como su imagen de vidrio transparente que contiene alcohol, era en el pasado capaz de seducir a mi cerebro, de despertar al chip maldito. Ya lo hizo más de una vez, muchas veces. Por eso ahora extremo la precaución. Me repito que la calle es una bestia al acecho: gente que brinda en grupos apiñados sobre las aceras, botellas de las que mana vino, vacuas conversaciones, euforia a voz en grito, monosílabos felices, camareros prestos, risas... Si fuera un paranoico pensaría que se ríen de mí. Debe de ser la fiesta del pueblo, alguna romería, o una despedida de soltero.

De pronto, me asalta la convicción de que si doy un paso más la sed me atrapará en sus garras. Mis piernas se vuelven de piedra ante la embocadura de la calle, soy incapaz de dar otro paso. El ruido de vasos se torna sólido, una pared que no puedo atravesar. Difícil de entender para quien no ha bebido, ya lo sé; pero verídico. Intuyo que si me quedo quieto una sola décima de segundo estaré perdido. Me giro, chorreo sudor. Algunas neuronas ya sienten sed, otras comienzan a sentirla. ¿Cómo puede ser?, me repito. El monstruo murió. ¿Tu proximidad lo ha despertado? La idea de beber, conozco el espejismo, parecerá de pronto la felicidad en su estado más irresistible. Por eso, como quien se ha topado en la selva con un tigre dormido, doy sigilosamente un paso hacia atrás y luego otro y otro. Si alguien me observa, pensará que soy un extravagante, un loco empeñado en algún paso de baile absurdo. En la esquina doy media vuelta y comienzo a alejarme cada vez más deprisa, sin dudar. Ahora no importa perder tu rastro. Ya lo volveré a encontrar, cuando me halle a salvo del tigre sediento.

Corro por un laberinto de callejuelas, con flores de bonitos colores que lo adornan todo. Vivimos en medio de contrastes dementes. Todos, también la gente sana y normal. Hace un momento, el bullicio en medio de la calle del peligro; y ahora, de pronto, esta soledad rigurosa en el laberinto que me absorbe. Todas las puertas están cerradas, y las ventanas con sus batientes recién pintados. Parecen gigantescas casitas de muñecas. Giro a la izquierda, luego a la derecha y otra vez a la derecha. Las mismas flores en todas partes, colores tan diversos que resultan inidentificables, una pasta agobiante de alegría cromática. Oigo pasos apresurados a mi espalda.

Sé que es el hombre de los yogures. Me sigue. Nada es casual, nunca nada ha sido casual. Giro de repente, para sorprenderlo. Pero no hay nadie, igual que ocurrió en la caja del supermercado. ¿Seguro que he oído pasos? ¿Y si era el eco de los míos? Me esfuerzo por escuchar, extremo la atención. Entonces, resuena otra vez en el aire el ruido de vasos. Por suerte, un rumor todavía lejano. Pero podría crecer y empezar a perseguirme, llegar hasta mí y echarme encima la invisible red de acero.

Me apresuro asustado por una calle más larga que las otras, cuesta abajo. Desemboco en el puerto como un caballo al trote, fustigado por el ruido de vasos. Soy el único elemento de crispación en el escenario de paz. Algunas personas se vuelven, mirándome curiosas o severas. ¿Quién es este intruso que osa irrumpir en nuestra tranquilidad, sudoroso y con la ropa arrugada?, imagino que se preguntan. Una anciana me mira con vago aire de reproche, también con suspicacia, como sospechando que soy un criminal que huye.

Paranoia.

Hay un barco turístico a punto de hacerse a la mar justo delante de mí.

Salvación.

Me dirijo hacia la pasarela echando mano al bolsillo del pantalón en busca de monedas. La anciana sonríe, tranquilizándose: ha comprendido que solo soy un buen hombre a punto de perder el barco.

Subo a bordo con un secreto sentimiento de satisfacción: he burlado a la anciana, a todos esos que me miraban pensando cosas raras. Veinte euros, hora y media de paseo marítimo por los alrededores, hora y media lejos de cualquier bar. Veinte euros, precio de alquiler de una prisión en medio del mar, donde no hay alcohol. Más vale prevenir que curar. En el pasado, los latigazos de la sed me depararon grandes disgustos. Pero me irrita pensar que la salvación implica otra hora y media lejos de ti. ¿Cuánto te alejarás de mí en ese tiempo?

Salimos del puerto, navegamos. Todo es aparentemente apacible, para los demás sin duda lo es. Turistas haciendo fotos o grabando vídeos, parejas acarameladas que otean el horizonte, un empleado que canturrea su oferta de bombones helados y refrescos.

Al rato, pasamos frente a una cala mínima, sin apenas superficie de arena. Y en medio de ella, sentada ante el mar, reposa una mujer vestida de blanco, rigurosamente solitaria en el paisaje. Parece estar comiendo una naranja. Me late el corazón.

Recurro a mi mejor sonrisa para pedirle los prismáticos de juguete a un niño, que me los presta tras consultar a su padre con la mirada.

Eres la mujer de la cala, pelando con las manos una naranja.

¿Qué estás pensando?, pienso.

Entonces levantas la vista, volviendo la cabeza hacia tu izquierda. Las lentes de los prismáticos me permiten comprobar que sonríes levemente. ¿A quién? Sigo la dirección de tu mirada.

Otra mujer camina por la arena hacia ti. Pelo largo, piel de bronce, rasgos indios, escasa estatura. Lleva de la mano a un niño de pelo rubio. Debe de tener nueve o diez años. Ríe al verte y corre hacia ti, zafándose de la mano de la india. Lo sigo con los prismáticos hasta que llega a tu altura y te abraza. Reís los dos. Tú le amonestas cariñosamente porque te ha volcado la servilleta sobre la que pelabas la naranja.

Intento recomponer mi desconcierto. El niño supone una pieza inesperada del juego. ¿Quién es?

El pequeño te abraza por puro impulso amoroso. No es un reencuentro tras una larga ausencia, como el que espero yo merecer dentro de poco, sino un acto cotidiano. Ese niño, lo adivino por vuestras maneras, vive contigo. ¿Cómo es posible este revés en mis planes?

Se sienta a tu lado, le ofreces unos gajos de naranja, te limpias los dedos con la servilleta mientras la india llega a vuestra altura. Cruzáis alguna palabra, se ve que trabaja para ti, sin duda es la asistenta que se encarga del niño.

Te quitas la gorra, y veo entonces tu cabeza afeitada, calva. Me estremezco al comprender que es la evidencia física de la lucha que has mantenido, y perdido, contra el cáncer. Salta en pedazos la estampa idílica que formáis en la cala. Regresa la realidad trayendo la muerte. Supongo que has debido de ocultar tu enfermedad al niño. ¿Qué le habrás contado, qué le contarás? ¿Qué sabe sobre la inminencia de tu final?

Pero sobre todo, ¿quién es este pequeño intruso?

En ese momento diviso una presencia masculina sobre las rocas que dominan la cala. Esta vez sí. No lo he oído, ni presentido. Se encuentra ahí. Lo estoy viendo, de pie al otro extremo del paisaje, a unos cientos de metros.

Busco su figura con los prismáticos. Mientras barro en panorámica la costa, sé que se trata de él. Lo enfoco, me inquieto al verificar que te vigila con otros prismáticos, igual que estoy haciendo yo. Durante un segundo permanece estático, observando la escena falsamente bucólica sobre la playa.

De repente, con un golpe seco y efectivo, vuelve los prismáticos hacia mí, con tal precisión que doy un paso hacia atrás, asustado.

Y ahí está, espiándome mientras le espío.

Su aspecto, como el mío, contrasta con el entorno veraniego. Las manos que sostienen los prismáticos van envueltas en una especie de guantes rotos, apenas jirones de tela blancuzca. No puedo distinguir su rostro, cubierto por un sombrero; pero sí constato que viste descuidadamente, como un mendigo: pantalón de lino arrugadísimo y mugriento, camisa azul celeste gastada, con dos grandes manchas oscuras en el pecho que evocan la sangre seca. Parece que el hombre ha sido acuchillado. ¿Por qué pienso esta truculencia? ¿Por qué mi instinto ha utilizado, sin pensarlo, la palabra «mendigo»? Objetivamente, el hombre de los prismáticos podría ser un juerguista que culmina una noche turbulenta paseando por la playa antes de acostarse. Tiene una tercera mancha en la ingle. Pequeña, roja, inquietante. Mi imaginación añade la idea de que supura alguna clase de humedad. ¿Humedad roja? Cierro instintivamente las piernas, me toqueteo nervioso la camisa. ¿Cuántas veces, en noches frenéticas del pasado, me manché como él, casi siempre sin saber cómo o con qué? ¿Y sus manchas? ¿A qué causa concreta se deberán?

A uno de los médicos de mi pasado le interesó mucho mi obsesión por los mendigos. Era aficionado al cómic, y no resistió la tentación de expresar su admiración por Nocturno. Ventajas y desventajas de ser un autor de culto. No vendes nada, pero a cambio puede que te encuentres con un fan en el sitio más inconveniente, como un sanatorio mental donde intentas, o intentan, desimpregnar de alcohol tus células adictas. «¿Ha observado que en las aventuras de su personaje introduce a menudo mendigos? ¿Se ha preguntado por qué?» Cierto, debí reconocer. En la primera historieta de Nocturno, un mendigo advierte a Guillermo Gervás de una grave e inminente amenaza para su vida; y otro mendigo le explica, en su primera salida a la jungla urbana convertido ya en héroe vengador, que su destino será matar sin hallar satisfacción en ello, matar para satisfacer la rabia y el odio. Los mendigos me fascinan desde niño. Tienen esencia trágica y son enigmáticos, sugerentes. En su boca, cualquier narración resulta verosímil, desasosegante, mágica; pueden provenir de cualquier lugar, dirigirse hacia todos los destinos. Si un mendigo surgido de las sombras en un amanecer solitario te susurra que acaba de resucitar, ¿acaso no le concederás más credibilidad que a cualquier ciudadano convencional?

«Tal vez –dijo el médico–. Pero hay algo más.»

Según él, los mendigos serían para mí un espejo, la imagen temida de cómo podría haber terminado si la suerte no llega a sonreírme, si no llegas a estar tú ahí, si Nocturno no hubiera sido un gran éxito de ventas internacional... Escuché la teoría en silencio, sin protestar ni negarla. Me resultó y me sigue resultando inquietante, por lo que deduzco que tiene algo de cierta.

Dejo de mirar al hombre de los prismáticos, y en el acto deseo mirarlo de nuevo. Pero temo que ya no esté allí, y me contengo. Porque si no hubiera nadie, ¿entonces qué? Y elijo volver a mirarte, sabiendo que te perderé tras las rocas una vez el barco describa la curva hacia la siguiente cala.

Sentada con las piernas cruzadas, tienes delante de ti un cuaderno. Lees ensimismada, anotas algo a bolígrafo mientras el niño, jugando, huye feliz de la india que trata de atraparlo. Los dos ríen, casi me parece oír sus chillidos felices amortiguados por la distancia. Tú escribes. Podría tratarse de una carta de amor. Podría estar dirigida a mí, pienso cuando desapareces tras las rocas.

Si permaneces un rato más en esa cala y el barco no tarda demasiado en regresar a puerto, sabré dónde buscarte. Sé dónde encontrarte, pero a la vez siento que tu imagen, de blanco ante el mar, sola y entristecida, creo que entristecida, será la última visión en esta tierra, en esta vida, que tendré de ti.

«¡Bombón helado! ¡Refrescos!», grita la voz del vendedor del barco.

Se encuentra a mi lado, sonriente, con la nevera portátil colgada del cuello.

«¿Bombón helado? ¿Refrescos?», repite con amabilidad y voz suave, dirigiéndose expresamente a mí.

¿Le extrañará mi aspecto inquieto y asustado? ¿Olerá mi sudor? Y la sed, ¿sabrá reconocerla? Por sus rasgos, deduzco que es medio hindú, o medio paquistaní; hijo de oriental y española, me atrevo a aventurar. ¿Por qué odio su sonriente serenidad? Lo descubro cuando bajo la vista hacia la nevera, que expone a la clientela con la tapa abierta para mostrar los productos. Entre los paquetitos de bombón helado y botes de refresco de cola y limón, encajada sobre una cama de hielo picado como si fuera la joya de la corona o el arma que se ofrece en estuche de lujo al duelista condenado, reposa una botella de cerveza: rubia, bronceada, con la piel del cristal moteada de gotitas tentadoras, helada y refrescante. Seducción y catástrofe.

«¡Vete a la mierda, hijo de la gran puta!» Construyo mentalmente el peor exabrupto, quiero convocar un rugido feroz, tan fuera de lugar y agresivo que logre el objetivo de asustarlo y hacer que se vaya. «¡Vete a la mierda, hijo de la gran puta!», estoy a punto de escupirle a la cara cuando me entrega unas monedas sin dejar de sonreír.

Tengo en la mano la botella. ¡La he comprado! ¿Cuándo? ¿Cómo?

El vendedor, afanoso por servirme, saca con un abridor la chapa de la botella mientras la sostengo en el aire, todavía atónito. Luego se da la vuelta y sigue su camino. «¡Bombón helado! ¡Refrescos!» Era una trampa, lo comprendo en el acto. ¿Por qué no gritaba también «¡Cerveza helada!»? Sostengo la botella abierta, el paraíso líquido que contiene se manifiesta con un leve vapor casi transparente, invisible, que asoma por el cuello como la puntita de una lengua de espuma. La danza de los siete velos atormenta a la víctima.

Y todo ocurre tan cerca del puerto, ya de regreso... Nos aproximamos a la costa, en pocos minutos atracaremos. Esta vez no tengo fuerzas para tirar la cerveza por la borda, al menos no las suficientes para hacerlo de un golpe seco e irreversible que no deje vuelta atrás. Caigo en el grave error de pensarlo dos veces. El sol quema, siento adherido a la piel el sudor seco de días. Es maloliente y casi sólido, parece que se resquebraja cuando me muevo.

En el embarcadero hay nuevos turistas esperando turno para embarcar. Detrás de ellos distingo al hombre de los prismáticos. Lleva la cabeza baja, cubierta por el sombrero de ala ancha. Recuerdo que al llegar al pueblo pensé en comprarme uno igual, o muy parecido. Pero es la camisa sucia de lo que yo supongo sangre lo que me permite reconocerlo. Observo la crispación física de sus hombros, del cuello en tensión, que contrasta con la paz de este día de sol, maravilloso para todo el mundo excepto para él y para mí. La mancha en su ingle es de un color rojo más brillante que las del pecho. Sigo pensando que es sangre fresca. Sangre que mana, gota a gota, en este preciso instante. Alguna herida muy reciente. El hombre da dos pasos hacia mí, sacando las manos de los bolsillos. Lo que antes me parecieron guantes son vendas.

Va a hablarme, lo sé. Pienso en defenderme, pero a la vez nada indica que tenga intención de hacerme daño. Antes, en el peor pasado, luchaba contra la angustia que atacaba inopinadamente optando entre dos opciones: enfrentarme a lo que hubiera de venir sobrio, aunque a la vez acobardado y sediento, o hacerlo bebido, irresponsablemente bebido, lo que durante un rato de paz falsa lograba volverme indiferente a lo que pasara a mi alrededor. ¡La segunda!, grita el frescor de la botella en la palma de la mano. Pero pienso en ti, al otro lado de la balanza, y aguanto. Una pequeña victoria de apenas un segundo. Eso decía el médico: «Cuanto peor estés, más cortas serán las batallas. De segundos, de décimas de segundo». Esta la he ganado, me digo mirando a la botella mientras el barco maniobra junto al embarcadero. Pero me asusta que la sed ataque y siga atacando. Y la botella le ayuda, contraataca a su manera: «cerveza sin alcohol», dice la etiqueta.

El 0'0 rotulado por algún publicista meticuloso es otra de las estrategias de la sed, su repentina andanada de cañonazos, mi tentación reavivada. «Solo un sorbo. No tiene alcohol.» Hubo una época, la de mi ingenuidad de alcohólico que empieza a ser consciente de que lo es, en que 0'0 era el número de Dios, la puerta de la curación. Pero se trataba de una esperanza falsa, un engaño de los mercaderes inmisericordes para exprimir un poco más a los desesperados sedientos. La cerveza sin alcohol tiene alcohol. Muy poco, apenas nada. Pero suficiente. Los fabricantes mienten, emiten carísimos *spots* televisivos donde niñatas de piel dorada trazan con sus dedos el doble cero en la pantalla, o lo sugieren con sus labios fruncidos. ¡Mentira! ¡El 0'0 no es 0'0! Sin embargo, los beatos y los familiares lejanos nunca te creen cuando se lo explicas. Les escandaliza tu sed mientras rezan por tu salvación, pero se ponen del lado de los mercaderes. Nadie te cree.

Nadie entiende nada.

Una vez logré acumular seis días de abstinencia sin que, sorprendentemente, me costara demasiado esfuerzo. Había venido a Madrid aquel editor francés interesado en conocerme, ¿recuerdas?, y me invitó a una comida organizada para establecer contactos en España. Mis propósitos eran firmes, inamovibles. Me había mentalizado para no sucumbir a la tentación de las botellas de vino y licores que habría sobre la mesa, a los vasos llenos a mi alrededor y a su ruido permanente. Todo estaba en orden, incluso contaba con un aliado: la gerente de la editorial, una francesa madura e interesante, de pelo rubio muy corto, era abstemia, y en la mesa me senté junto a ella. Pero la sed inició el asalto apenas sirvieron el primer plato. Sentí náuseas cuando supe que iba a vencerme. Noté cómo el chip maldito despertaba en todas mis neuronas, cómo cada una de ellas se rendía, cayendo en batería igual que piezas de dominó. ¿De dónde surgía el estímulo para ello? Imposible localizarlo, pero ahí estaba. Fuerte, feroz, invencible. Empezó el sudor frío, me tensé y asfixié. La francesa me preguntó si me encontraba bien, posó su mano sobre la mía, preocupada. Tenía el antebrazo bronceado, una pulsera de oro en la muñeca, olía a piel suave, a perfume caro, a riqueza presentida, a éxito de Nocturno en Francia. Tuve que presentar excusas y marcharme. Todos fueron amables, comprensivos. La francesa insistió en que tomáramos café al día siguiente, era una verdadera admiradora de Nocturno. Prometió llamarme por la mañana, pude haber salvado la situación. Pero la sed me estrangulaba, y tomé una copa en la barra del bar del mismo hotel donde transcurría la comida, terrible error. Vodka con tónica, vaso bajo, mucho hielo, un toque leve de limón y un golpe seco de cucharilla. Adopté la actitud del catador exquisito, exigente con los detalles, porque esa máscara absurda mitigaba mi vergüenza ante los camareros. Sentía que todos ellos me juzgaban o se compadecían de mi vicio, y cuanto más discretos e indiferentes se mostraban, mayor era mi irritación. ¿A quién creían engañar, con sus sonrisas de medio lado y su trato amable? Sin embargo eran enemigos débiles, solía vencerlos con facilidad. A la segunda copa su juicio me era indiferente. Y cuando esa segunda se hallaba mediada y en mi mente se formaba la idea de pedir la tercera, mi animadversión hacia ellos se había transformado ya en desprecio absoluto, en superioridad incuestionable. En la barra de aquel bar dominé inicialmente a la sed. Vodka con tónica. Bebida de profesional. Golpea a la sed enemiga sin misericordia. Un misil impactando en su cuartel general. La deja desmantelada, concediéndote más o menos media hora o cuarenta y cinco minutos de victoria, de paz externa y seguridad interior, de vuelo rasante sobre el mundo. Respiras el doble, respiras más hondo. El aire que entra en tus pulmones es de mayor calidad que el que aspiran los tontos a tu alrededor. Una lucidez luminosa explota dentro de ti, la antorcha de todas las victorias te quema por dentro. ¿Dónde están la francesa y el editor?, me pregunté con arrogancia. Sentía que era el mejor y que podía demostrarlo. Siempre hay un momento en que lo sientes. Decidí regresar a la mesa, explicar que había dado una vuelta a la manzana y que el mareo se había evaporado. Y pensé, por qué no, que otra copa aumentaría mi resolución y mi fuerza...

Una hora y tres copas después, la francesa apareció de pronto a mi lado. Venía a comprar tabaco. Al principio no me vio. Mi seguridad se había ido deteriorando, resquebrajando, emborrachando. En mi boca, bajo la lengua, chapoteaban esponjas que me entorpecían el habla. Clavé la vista en el fondo de mi vaso, quise ocultarme entre los restos de cubitos de hielo, bajo la rodaja de limón. Ella pagó y se giró, olí su perfume caro, sentí su mirada clavada sobre mí durante una décima de segundo. Supe que me había visto y estaba meditando si saludarme o no. También que en esa décima de segundo lo dedujo todo. Finalmente, salió sin decir nada. Al día siguiente no me llamó. Y años después un médico, otra de la larga lista, me explicó qué había despertado mi sed aquel día fatídico. El alcohol es un monstruo que una vez aferrado a las vísceras de su víctima funciona como un reloj, como un asesino profesional capaz de adoptar infinitos disfraces para estimular el deseo de las neuronas enfermas. El más habitual es el licor, la cerveza o el vino. Pero existen opciones más perversas, como la que saltó sobre mí aquel día, y que según el médico fue, casi con seguridad, el perfume de la francesa. Lo miré incrédulo, atónito. Sin embargo, está científicamente comprobado. El perfume caro, la colonia barata, la loción para después del afeitado... Todo ello contiene alcohol, todo puede despertar al monstruo. Te estás afeitando tranquilamente, la luminosa mañana de tu cuarto día sin beber, y la loción que aplicas a las mejillas, regalo de la mujer con la que estás citado, a la que has conocido hace poco y con la que podrías llegar a ilusionarte, se introduce en tu piel y sube por los conductos de la nariz directamente a tu cerebro, mientras inspiras satisfecho, repitiéndote lo hermosa que puede ser la vida.

Desde entonces, y a pesar de estar curado, huyo de los fabricantes de perfume y de los vendedores de cerveza sin alcohol. Rehuyo a los beatos y a los familiares lejanos que les creen a ellos antes que a mí. Soy solidario con los sedientos y los desesperados. Me gustan más que los demás, no puedo ni quiero evitar la simpatía que me despiertan los alcohólicos. Los amo. Les tiendo y les tenderé siempre la mano. Aunque sepa que en ellos habita el infierno.

Salto a tierra el último, con la 0'0 en la mano.

El hombre aguarda con la cabeza gacha bajo el sombrero de ala ancha.

Me detengo ante él, estudiando su escasa corpulencia, su fragilidad. Me relajo. Podría vencerle fácilmente. «¿Quién eres?», me dispongo a preguntarle abiertamente, envalentonado.

Pero él habla antes:

–¿Has visto al niño? –pregunta sin levantar la cabeza, oculto aún bajo el sombrero. También ha llamado poderosamente su atención.

Oigo el silbido de su respiración angustiada. De pronto, me irrita mi estúpida sumisión.

–¿Puedo saber quién eres? –pronuncio al fin–. ¿Y qué quieres?

Levanta lentamente la cabeza. Me mira. Su mirada penetrante impresiona y, tal vez por el punto demente que se evidencia en ella, podría dar miedo; pero a la vez hay algo grotesco en estos ojos muy abiertos, yo diría que asombrados e incluso atónitos, como si estuvieran viendo en mí a un prodigio de la naturaleza. El hombre tiene bolsas bajo ellos, volúmenes adiposos que contrastan con la cara larga, delgada, de piel blanca salpicada de venitas rojas de bebedor. Es enclenque, nervoso, frágil. Debe de andar por los sesenta años; tal vez cincuenta y cinco mal llevados, muy cascados.

No responde. Solo abre un poco más los párpados y comienza a girar a mi alrededor, como si estuviera memorizando cada detalle de mi persona y, a la vez, fingiendo que no lo hace. Le sigo con la vista, estudio sus movimientos y sus rasgos.

Es difícil sentir miedo en este puerto soleado, al aire libre de un día de verano, rodeado de turistas inofensivos. Y sin embargo, estoy empezando a sentirlo.

Miedo, una décima de segundo de miedo intenso acuchillándome el estómago hasta volverse, otra vez, mi viejo enemigo vertiginoso.

–Por favor... –suplica de repente el hombre, y su patético lamento, por completo inesperado, me desconcierta. Mira la 0'0 con angustia y pena, tal vez pena por sí mismo. La lengua le asoma de la boca, no puede evitar el gesto instintivo e irracional de deslizarla por los labios, ansiosa y sedienta–. Si me das esa cerveza que tienes en la mano, te mostraré algo prodigioso. Algo increíble que jamás imaginaste.

Agarra la botella y tira de ella con suavidad. Me la arrebata, no me resisto. Es más débil que yo, pero no me resisto. Me puede la lástima. Pocos sentimientos de solidaridad son tan intensos y sinceros como los que se establecen entre dos borrachos, o entre uno que lo es y otro que lo fue. Los trapos alrededor de sus manos, manchadas también de lo que podría ser sangre seca, recuerdan a esas vendas protectoras que se ciñen los boxeadores antes de enfundarse los guantes. Pero estas llevan puntillas, como si los vendajes se hubieran improvisado con piezas de lencería rasgada.

–Es cerveza sin alcohol –le advierto.

Emite un jadeo de frustración. Pero se trata de beber. Beber algo, lo que sea; aunque solo parezca alcohol. El hombre es un perro sin amo, y nadie más en todo este pueblo, en todo el mundo, puede comprenderle como yo.

Entonces me sonríe por primera vez. Tiene la dentadura estropeada, amarillenta, y se distinguen los huecos de dos o tres piezas que faltan en la encía inferior. De forma instintiva, compruebo con la lengua que mi dentadura, y esas tres piezas en concreto, se encuentran donde siempre. Y absurdamente, al comprobar que es así, respiro más tranquilo, como si esos tres dientes entrañasen alguna clase de salvoconducto para la salvación.

Bebe como si la 0'0 fuese felicidad líquida en estado puro. Es su primer trago en bastante tiempo, lo deduzco en el acto. También veo cómo la cerveza, a pesar de la teórica ausencia de alcohol, le regenera la piel y la carne. Sin duda, también el alma. Se le humedecen los lagrimales. Es ese instante en que el primer trago reta al universo entero y lo vence.

Apura el contenido con un chasquido de satisfacción. Después, literalmente rejuvenecido, me devuelve la botella vacía.

–Gracias, gracias. Y ahora, ven –dice con un brillo de alegría obscena, animal, en sus ojillos entrecerrados–. Lo prometido es deuda.

E inicia el camino hacia un barecillo del puerto. ¿Por qué está tan seguro de que le seguiré?

Cojea de la pierna derecha, pero mi mirada se detiene en el libro que le sobresale del bolsillo trasero del pantalón: doblado y viejo, usado. Me parece reconocer los colores de la portada de *Televisión y sangre,* y podría tener sentido. Si te está siguiendo parece lógico que lo haya comprado, como yo. Pero ¿por qué te sigue? Tal vez, porque sabe que yo me iba a hacer esa pregunta, está tan seguro de que iré tras él. Tal vez, porque quiero esa respuesta, voy efectivamente tras él.

El barecillo, por fuera, parece una casa de muñecas, pequeño y coqueto, forrado de madera barnizada hace bien poco. La puerta está cerrada. Es también de madera, con un pomo reluciente.

El hombre la abre y me invita a entrar, quitándose el sombrero para hacer una reverencia premeditadamente caricaturesca. Está casi calvo. Apenas tiene cuatro pelos canosos, pegajosos de sudor como piel de pollo mojado, adheridos a la cabeza.

Dudo un instante en aceptar, pero finalmente cruzo el umbral.

Y al poner el pie en el interior, se desarticulan la vida y la lógica. Explota el prodigio que el borracho prometió.

Dentro es fuera. El día es la noche. O parece la noche.

Cerrada y densa, a pesar de que múltiples luces inesperadas lo pintan todo de color anaranjado, brillante, vivo. Veo ante mí una animada calle repleta de bares de copas, típica de una gran ciudad que podría ser Madrid. Miro a un lado y a otro, en busca de algún vestigio de racionalidad. Pienso que es una broma, un embrujo. Me siento un dibujo animado en una película de personajes de carne y hueso, o viceversa. El ruido de vasos, infinito y brutal, se impone sobre la música rock que sale de casi todos los tugurios. La calle está poblada de diez mil vasos en pie de guerra. Alrededor de sus formas de vidrio se aferran las manos de bebedores felices. Instintivamente, con cautela, deslizo la mano hacia la espalda, en busca del pomo de la puerta, y cierro los dedos sobre él. Intento girarlo, pero está trabado. Es entonces cuando comienzo a sudar, o al menos cuando adquiero conciencia de ello. Sudor frío, inquietud repentina porque la puerta de retorno se ha vuelto invisible, inexistente. El pueblo de verano ha desaparecido. Y la calle de bares, debo aceptarlo, huele cada vez más a Madrid, a mi pasado, a mi oscuridad interior, a tripas sudando.

Pero no tengo miedo. La presencia del hombre, invitándome con la mirada a adentrarme en este decorado hiperrealista, me resulta inexplicablemente tranquilizadora, como si conociera las causas de este aparente milagro y me transmitiera que son inofensivas. Sonríe, y su sonrisa y la ausencia de miedo me deciden. Me excita el deseo de saber un poco más. Tú solías decirme que era curioso como un gato de tejado.

Avanzo hacia el hombre. Mis movimientos son más lentos que los de los figurantes de la calle, que ríen ajenos por completo a mí, indiferentes. Soy un dibujo animado, o tal vez lo son ellos.

Sí, huele a Madrid, a oscuridad interior...

El hombre echa mano al bolsillo trasero de su pantalón. Saca el libro, me lo muestra, es efectivamente el tuyo, *Televisión y sangre*. Observo que le falta la contraportada de cartón.

–La arranqué en la librería –aclara, adelantándose a la pregunta que no he llegado a formular–. Para quitarle el chivato electrónico que le ponen esos cabrones. No tenía dinero, lo tuve que robar. Toma, lo he traído porque no sabía si lo tenías. Lee el prólogo.

Me entrega el libro y echa a caminar muy despacio, al ritmo que le permite su cojera.

Al faltar la contraportada en el ejemplar robado, falta también tu foto, y con ella la fuerza que desde el papel podrías haberme concedido para superar esta prueba.

Abro la primera página:

Yo era muy joven a principios de aquel 1990 que parece tan lejano y además de parecerlo lo es.

Voy tras mi estrafalario acompañante, y lo alcanzo cuando se adentra en una plazoleta vacía, con todos los bancos de madera a nuestra disposición. Ignoro si esta soledad es una bendición o una celada.

–¿Quién eres? –vuelvo a preguntarle cuando se sienta en uno de ellos.

Los huecos de su dentadura amarillenta y marrón surgen de nuevo, ahora tras una sonrisa sucia que se pretende amistosa.

Me siento en el mismo banco que él.

–Lee el prólogo –repite, ahora susurrando a mi oído.

Inspiro hondo. Al abrir tu libro, siento la respiración del hombre junto a mí.

Televisión y sangre

Memorias vertiginosas
de una profesional del medio
(1990-2015),

por Amparo Sanz Valles.

Prólogo de la autora.

Yo era muy joven a principios de aquel 1990 que parece tan lejano y además de parecerlo lo es: han transcurrido veinticinco años desde entonces.

Vivía con mis padres y mi hermana pequeña, Eva, tres años menor que yo, también estudiante de periodismo. Clavada ante la tele anhelaba, anhelábamos las dos, que llegara el veinticinco de enero. Era como volver a vivir, con ilusión de niña, una mañana mágica de Reyes Magos.

Un spot *televisivo repetía machaconamente este mensaje:*

«Atención, toda la población. El 25 de enero deben permanecer en sus casas. Se podrán ver monstruos, fenómenos sobrenaturales y extrañas apariciones».

Era la impactante publicidad de Antena 3, pionera de nuestras cadenas privadas de televisión. Yo acababa de terminar la carrera. Tenía el título de Periodismo y también el sueño de llegar a ser estrella de ese mundo nuevo que se avecinaba.

Los Reyes Magos no existen, pero la televisión privada sí.

Mi madre se mostraba escéptica, mi padre indiferente: «¿Más televisión? ¿Para qué, si ni siquiera veo la que hay?». Él estuvo a salvo desde el principio, y así siguió hasta su muerte. Pero a mi hermana y a mí nos divertía, nos excitaba, nos fascinaba. Recuerdo nuestro entusiasmo aquel día, nos veo a Eva y a mí enfervorecidas ante la pantalla, convencidas de que nos iba a tocar vivir una época moderna, trepidante, creativa, origen de sucesos prodigiosos de los que seríamos testigo o incluso parte. Eva no lo consiguió. Llegó a ser directora de comunicación de una cadena de comida rápida. Ganaba mucho dinero, y tuvo hasta su muerte la convicción, la convicción no impostada, de que su trabajo tenía gran trascendencia social. En la última etapa no sonreía casi nunca, siempre concentrada en informes y balances. Una vez me confesó que eso, el no sonreír, se trataba de una estrategia para que sus subalternos no detectaran en ella síntomas de relajación, o pensaran que había perdido de vista la gran importancia de su trabajo. Pero en familia tampoco sonreía, y me preguntaba a qué estrategia respondía esa incapacidad. Desearía saber si en el último instante, antes de que su deportivo se estampara contra el camión que la mató en el acto, mi querida hermana Eva, mi añorada hermana pequeña Eva, tuvo una revelación y comprendió hasta qué punto había equivocado su vida. Lo hiciera o no, lo cierto es que su muerte fue determinante para que yo entendiera y sobre todo corrigiera muchos de los errores de mi pasado. De alguna manera Eva, con su muerte, me salvó. Por eso ahora, cercano el momento de reunirme con ella en la nada, quiero dedicarle este libro, estas memorias. Lo bueno y lo malo que en él confieso, lo me-

jor y también lo peor que podría haber llegado a contener, si las cosas hubiesen sido de otra manera.

Te beso, Eva. Con el gesto silencioso, solo nuestro, que inventamos de niñas como pacto de sangre para protegernos del mundo, para llamarnos una a la otra cuando nos necesitáramos. Por eso, y también por respeto, no voy a citarte más en este libro. Pero que sepas que todo él es tuyo, que todo esto es por ti y, en parte, también gracias a ti.

Con todo mi amor, Eva.

Te beso. In memoriam *por ti,* in memoriam *por mí.*

Y ahora, volvamos a aquel veinticinco de enero.

En el instante preciso en que comenzaba aquella primera emisión, pedí que me fuera concedido el deseo de acceder a ese universo que nacía ante mis ojos. Ni por un momento recordé los viejos cuentos de terror que leía de niña, donde se volvían realidad los sueños del protagonista, y su vida se transformaba en pesadilla poblada de brujas y demonios que buscaban devorarla.

En este punto, el grado de aproximación a la realidad sería estimable. Por una vez, la publicidad había dicho la verdad. Pudieron verse monstruos. Lo sé muy bien. Llegué a ser uno de ellos.

¿Cuándo me transformé?

Antes de responder –o de intentarlo, pues este libro no se compone de respuestas, sino de preguntas que flotan en el aire–, hay algo de lo que quiero dejar constancia. Deseo decir en este prólogo algo que nunca antes había contado, la historia del viejo norteamericano. Es curioso, empiezas a desgranar tus recuerdos y estos pronto surgen solos. Resulta inútil resistirse a ellos. Me pregunto si no tendrán vida propia.

Era uno de los últimos supervivientes de las Brigadas Internacionales. Había venido a España para conmemorar el sesenta aniversario de su otra llegada a Madrid, en noviembre del 36. La tele local donde por entonces trabajaba yo había concertado una entrevista con él. Un miembro de nuestro equipo se había puesto enfermo, y me enviaron a sustituirlo. Se trataba de mi primera entrevista, algo que ningún periodista del mundo puede olvidar jamás; recuerdo que eso decían los reporteros veteranos.

Uno de ellos, muy misteriosamente, me había dicho una vez: «La primera entrevista no solo es inolvidable... También contiene claves de lo que será tu desarrollo profesional y tu vida. Solo que no lo sabrás hasta encontrarte en el final del camino».

Bien, es ahí donde estoy ahora. En el final del camino, literalmente. Y veo con nitidez todas aquellas claves, soy capaz de interpretarlas en todo su dramatismo...

Me hace gracia mi ingenuidad de entonces. Incluso siento ternura por mí misma, aunque también cierta melancolía dolorosa.

Al día siguiente era mi cumpleaños, cumplía treinta y uno. Recuerdo que me veía vieja y que estaba furiosa: a mi edad ya había media docena de estrellas femeninas del reportaje televisivo; todas con su programa propio, todas populares por su rostro o su simple nombre.

Sin embargo, no quiero que todas estas disgresiones alteren la esencia de mi narración. Por ello transcribo aquella escena directamente desde mi diario de entonces, sin cambiar una sola palabra ni añadir reflexión alguna.

Cinco de noviembre de 1996

¡Por fin!

Casi me alegré del cólico que le ha dado al pobre Paco, y si soy sincera del todo le quitaría el «casi». Llevaba meses esperando una oportunidad así. Lástima que no ocurriera la semana pasada. Por fin habíamos logrado que nos recibiera el presidente del gobierno, y con Aznar habría demostrado lo buena entrevistadora que puedo llegar a ser; mucho mejor que con el brigadista este, pero en fin.

El viejo se hospedaba en una pensión cochambrosa del centro, en la calle Fuencarral. No tenía dinero para algo mejor, pero según hube de enterarme más tarde, había otra razón, una de índole sentimental, romántica.

La patrona, al vernos llegar al operador y a mí con la cámara y el trípode, ha pensado que se trataba de una broma. ¿Cómo iba a venir la televisión a su hostal, y menos para filmar al huésped del tercero? En la pensión no había recepción propiamente dicha, sino un pequeño mostrador al pie de la escalera. Allí no se podía rodar, todo era demasiado feo y reducido, y el cámara ha sugerido realizar la entrevista al aire libre, en la cercana plaza de Chueca o en la Gran Vía, junto al edificio de Telefónica que tanta importancia jugó durante el sitio de Madrid.

He subido maldiciendo a buscar al viejo. El papel pintado de las escaleras estaba descolorido, y en las paredes había zonas desconchadas por la humedad. Todo olía a fritanga. ¡Vaya debut como entrevistadora! Habitación 343, me había indicado pomposamente la patrona. Solo hay cuatro habitaciones por planta, deben de ser doce en total, o dieciséis, pero ella se hace la ilusión de que gestiona un gran hotel.

–Adelante –ha dicho una voz de marcado acento extranjero cuando he golpeado con los nudillos.

La voz de mi primer entrevistado. ¡Mi entrevista! He inspirado dos veces, profundamente.

–¡Calma y valor, Amparo! –me he animado entre dientes antes de abrir la puerta–. ¡A por tu futuro!

El viejo estaba tumbado boca arriba sobre la cama, con las palmas de las manos bajo la nuca, mirando el techo con expresión de felicidad.

–¡Qué, Pepita...! –ha susurrado en voz baja, sin desviar la vista del techo, cuando he abierto la puerta y ha percibido una figura femenina bajo el umbral–. ¿Hoy tocan porras o no tocan porras?

Ha pronunciado porras de una manera imposible, con un acento norteamericano cerradísimo, casi de caricatura. Se refería a esos churros horribles y gigantescos, todo grasa, que son el desayuno típico de Madrid.

–No soy Pepita.

El viejo, tras lanzarme una mirada rápida, se ha puesto en pie con gran agilidad, dejando a un lado, literalmente, su ensimismamiento melancólico:

–Ya lo sé, mujer. Tú eres Amparo Sanz, la periodista –ha aclarado, extendiendo la mano abierta hacia mí–. ¿Sabes qué pasa? Le solía decir esa frase a Pepita todas las mañanas, cuando me traía el desayuno, y me ha hecho gracia recordarlo. Soy Tom Warren. Por cierto, aquellas mañanas casi nunca había porras.

Le he estrechado la mano. Es fuerte y franca, como parece él. En más canijo, recuerda mucho a John Wayne, el actor de películas del oeste, lo que me ha chocado porque lo último que habría hecho el ultraderechista John Wayne es alistarse en las Brigadas Internacionales. Curioso, desde el momento de estrecharle la mano me ha resultado imposible volver a escribir «viejo» al referirme a él. Tom es Tom.

Tiene ochenta años, vino a Madrid con veinte. No es más alto que yo, de rostro muy bronceado, con barba y larga melena blancas, ambas limpias y bien cuidadas. Está orgulloso de ambas, son la evidencia de su coquetería.

Al decirle que no queríamos grabar en la habitación ha sonreído tristemente, encogiéndose de hombros:

–Es una pena. En esta pensión me hospedé cuando vine a luchar a Madrid. En esta misma habitación. Lo sé con seguridad porque queda enfrente de la calle, justo en línea recta. ¿Ves? Mira, ven.

Nos hemos asomado juntos. La ventana del edificio de Fuencarral da exactamente a la embocadura de la calle Infantas, que se pierde hacia el fondo en dirección a la calle Barquillo. El cámara estaba abajo, esperando, y le he indicado por señas que nos grabara mientras hablábamos. Me ha parecido un buen plano de ambientación para la entrevista.

–Hace sesenta años, el día que llegué, pedí dos deseos apoyado en esta misma ventana, Amparo. La batalla había comenzado, y era casi seguro que Franco iba a entrar en Madrid, nadie daba un centavo por la ciudad. Pero pedí que ganáramos. Y ganamos. Franco no entró en Madrid en noviembre del treinta y seis –ha subrayado como si sospechara que a alguien podía quedarle alguna duda. No sé por qué, me lo he imaginado de pronto pegándose más de una vez en su tierra, en Estados Unidos, con alguien que hubiera dicho que venir a Madrid a luchar por la República era una idiotez. Si hubiera que hacerlo hoy de nuevo Tom, a sus ochenta años, lo volvería a hacer.

–¿Y el segundo deseo?

–El amor, Amparo. Encontrar el amor.

–¿Lo encontraste?

–Demasiadas veces. Demasiadas para recordar alguna concreta. Pero siempre he llevado Madrid conmigo. ¡La luz de Madrid!

–¿Eres pintor? –he dicho estúpidamente; los tópicos funcionan a traición en nuestra mente: brigadista, bohemio, norteamericano, amante de la luz de

Madrid... Parecía obvio que podía ser artista. En particular, pintor.

–¿Yo? No. Camarero desde siempre. ¿Qué pasa? ¿A los camareros de Chicago no puede gustarnos la luz de Madrid? La luz de Madrid y de esta habitación –ha continuado mirando hacia la calle Infantas, tras reprobarme un instante con la mirada–. Hay cosas que se nos quedan para siempre, que se nos graban más que otras: Pepita trayéndome el desayuno, a veces con alguna porra y a veces, casi siempre, sin porras. No me enamoré de ella, aunque hayas pensado lo contrario. Tenía catorce años, y era muy ingenua, una niña en todo. Lo que me gusta, lo que amo de ella hoy igual que entonces, o puede que más, era su imagen de inocencia, cargando la bandeja con el desayuno, todas las mañanas igual de torpe, a punto de tirar los platos, en esta habitación con luz tan especial, apacible. He vivido mucho, Amparo. Tuve un barco, gané dinero y lo perdí, tengo dos hijos que son buenas personas, mi mayor triunfo. Pero nunca he sido tan joven, tan fuerte y tan feliz como lo fui en esta habitación, como lo fui en esta ciudad.

Él solo se ha emocionado, creo haber visto cómo se le humedecían los ojos. Pero no le gusta exteriorizarlo, y para disimularlo ha cambiado de tema, lanzándose a contar una anécdota que no tenía nada que ver con el hecho de ser brigadista. O puede que sí.

–Y en una pelea en el bar donde trabajaba, una noche de hace no tanto –ha dicho tras inspirar largamente– salté de la barra para ponerme del lado

de un borracho. Estaba él solo contra tres pendencieros, uno de ellos amigo del dueño del bar, para mi desgracia. Me despidieron. Pasé el resto de la noche con el borracho. Nos gastamos bebiendo mi liquidación, él no tenía dinero. Era David Crosby en sus horas bajas, el músico. ¿Sabes quién es? ¿Crosby y Nash? ¿Te suenan?

–Cuéntamelo abajo –le he interrumpido. Se había embalado y no estábamos grabando nada.

Pero cuando nos disponíamos a salir me ha agarrado con solemnidad del brazo.

–Amparo –ha dicho con gesto grave–. Te regalo esta ventana. Es toda tuya.

Le he mirado sin entender.

–Es una ventana mágica, ¿no lo entiendes? ¡Concede los deseos! ¡Venga! ¡Pide dos! Como hice yo.

Me he asomado a la ventana entre cohibida y pudorosa, mirando al frente, hacia la calle. Y no he dudado:

–Ser la mejor. Ser la mejor.

Eso pedí hace casi veinte años...

Un deseo repetido. Podrían parecer dos, pero en realidad se trataba de uno solo. Cautelosa como siempre, en parte gracias a esa cualidad he sobrevivido en esta jungla, decidí reservar el último para otro momento crucial de mi vida. Y ese segundo deseo de la ventana de Tom Warren no lo he utilizado hasta hace bien poco. Pero prefiero mantenerlo en secreto, y concentrarme en aquel único que podía parecer dos.

Ser la mejor. Ser la mejor...

Qué absurdo, visto ahora, al borde de la muerte.

Rememorando todo esto, localicé al dueño de aquella cadena local para la que hice la entrevista. Ahora, tantos años después, dirige una revista, pero su vieja cadena sigue en funcionamiento, un verdadero caso de tesón, o cabezonería. Su amabilidad ligeramente crispada mientras conversábamos por teléfono me demostró que está al tanto de mi enfermedad. Por supuesto. Todo el mundo está al tanto. ¿Quién se halla a salvo de los medios de comunicación? Encontró en sus archivos lo que quedaba de aquella grabación del año noventa y seis, y me hizo llegar una copia.

He pasado el material en avance rápido, saltándome la larga entrevista a Tom Warren hasta localizarme en la ventana. Y he pulsado «play».

Ahí estaba yo. Ahí sigo, dentro del vídeo, veinte años después. Mi imagen joven, ambiciosa, inocente... No sé cuántas veces me he visto y vuelto a ver. Tampoco puedo expresar con claridad las sensaciones que me provoca. Me emociono, me entristezco... Me emociono, me entristezco... Y me aterrorizo. Descubro que no quiero morir, que me da pánico morir. Casi siento envidia de las personas religiosas. Me gustaría ser una viejuca beata de comunión diaria, a ser posible analfabeta, de las que creen con fe ciega en Dios y en la otra vida; una de esas ancianas a las que he considerado despectivamente toda la vida. Yo, tan lista, carezco de algo que ella sí tiene: un escudo, aunque sea falso, contra el pavor a sentirse absorbida por la nada.

Después de habernos despedido, Tom Warren eligió quedarse un rato en la taberna donde habíamos realizado la entrevista.

Al pasar por la acera, ante la cristalera, vi que le servían un plato con porras. El pudoroso Tom, o el incurablemente romántico Tom, había esperado a encontrarse solo para pedirlas. Aquel día imaginé que evocaba a Pepita, a pesar de haber afirmado que nunca se enamoró de ella. Pero hoy sé que pensaba en la luz de la habitación de sesenta años atrás, o en su propia juventud perdida.

Sostenía una porra, ensimismado. No se apreciaba a través del cristal, pero podía ser que tuviera lágrimas en los ojos. La imagen era emocionante, muy vendible, y el cámara se lanzó a grabarla. Pero algo me impulsó a poner la palma de la mano delante de su objetivo.

Me gusta recordar aquel impulso. Actué para que la soledad de Tom Warren perteneciera solo a Tom Warren y siguiera perteneciendo solo a Tom Warren.

Me sentí orgullosa de mí misma por haberlo ocultado de la voracidad de la cámara.

Yo era todavía hermosamente inocente. Y hoy sé que ese gesto, salvar la intimidad de Tom ante la cámara, contiene la clave a la que se refería el periodista veterano cuando hablaba misteriosamente de la primera entrevista de todo periodista. La clave que cobra sentido al final del camino.

¿Cuándo me transformé?

¿O es que la persona que mató a personas inocentes y ahora quiere confesar existía desde el principio dentro de mí, y solo aguardaba el momento idóneo de surgir?

Para tratar de averiguarlo he escrito este libro que no contiene respuestas, sino solo preguntas.

¿Y yo, Amparo? ¿Cuándo cambié yo?

Carezco de respuesta para tu pregunta, también para la mía. ¿Habrá alguien que conozca el momento preciso en que dejó de ser quien una vez soñó que quería ser? ¿Y servirá de algo saberlo?

Alzo la vista, de regreso a la realidad falsa de este Madrid nocturno que hace apenas un rato parecía, o era, un pueblecito inocente de la costa. El hombre que por separado nos seguía a ti y a mí me observa con una mezcla de petulancia y compasión. Detecto, a pesar de todo, lo que me atrevería a definir como un poso cariñoso hacia mi persona.

Le devuelvo tu libro.

–Amparo –explica, hablando de ti con familiaridad que me sorprende– cuenta un montón de cosas en sus memorias, aunque ni una sola palabra acerca del niño.

El niño en la playa, a tu lado, le ha perturbado igual que a mí. Me pregunto por qué.

–Venga, invítame a esa copa –concluye en tono cordial, y echa a caminar sabiendo que le seguiré, como de hecho hago. El desconocido cojea de la pierna derecha, antes no me engañé.

Para un observador cualquiera, podríamos ser dos amigos de la infancia que se han reencontrado por casualidad. Lo cierto es que no me siento amenazado por él. Su presencia me inquieta, pero no temo que vaya a hacerme daño. Al contrario, casi siento que me protege en esta noche inverosímil, de la que me gustaría averiguar algo más. ¿Cómo ha surgido, aunque poco importe? Allí donde miro, todo tiene la sencillez irracional de las viñetas de una tira cómica que yo mismo podría haber dibujado. Se diría que no hay presente ni pasado en los elementos del paisaje que vamos atravesando, como si no hubieran existido nunca o estuvieran existiendo solo ahora, provisionalmente, exclusivamente, apenas las décimas de segundo justas para que los transitemos. Siento la tentación de girarme de golpe para sorprenderlos durante su transformación o su desvanecimiento, para verificar su levedad de existencia casi irreal. Pero ¿para qué habría de hacerlo? Son espacios inofensivos, como los de la mayoría de los sueños; y lo que es más importante: lo parecen. Así que, ¿por qué no disfrutarlos?

Tiempo atrás, antes de cumplir cuarenta años, cuando todavía bebía, tuve una pesadilla donde veía mi evolución física, en una suerte de proyección rápida similar a la del cine mudo, desde la juventud hasta la muerte. Lo terrible no era ver el pasado, cómo había sido yo en mi niñez y juventud todavía inocentes, sino asistir a mi propio futuro aún no producido en el momento de soñarlo. Sin embargo, me era dado saber con precisión las enfermedades y achaques que padecería hasta el final de mi vida. Especialmente angustiosa, incluso físicamente angustiosa, era la percepción de que mi hígado se hincharía, se pudriría, explotaría como el de una oca cebada a los pocos días de cumplir sesenta y dos o sesenta y tres años. Esa sería la causa de mi muerte, veinte años después de hallarme soñándola. Seguro que mi compañero de viaje también ha soñado cosas así.

–Si pudiéramos conocer de antemano la fecha de nuestra muerte, ¿cuántos de nosotros preferiríamos continuar ignorándola? –preguntó de repente.

No le contesto. Sigo caminando.

Nos acompaña únicamente el sonido de nuestros pasos, los míos cansados, meditabundos, y los suyos arrítmicos, desiguales a causa de la cojera. Y tú, amor, ¿has tenido o tuviste presagios negros? Me pregunto cómo habrás sufrido en soledad el primer mazazo, qué sentiste cuando el médico te diagnosticó el cáncer, y no había nadie a tu lado para cogerte la mano. No estaba yo.

Corre un aire tibio en la veraniega noche de este Madrid inexistente y real. Debe de ser martes o miércoles. Lo deduzco por el número de gente que pasea. Sabido es que los domingos y los lunes, a partir de cierta hora, la ciudad suele verse casi vacía, despoblada a causa del inicio de la semana laboral que a tanta gente recoge; los jueves, sin embargo, ya se huele en el aire el afán de relajo y expansión, que estalla viernes y sábado con riadas de gente por las aceras, y coches inmovilizados en medio de filas atascadas por estas calles céntricas que ahora aparecen con tráfico fluido.

–La década de los noventa es la de la ingenuidad, ¿no te parece? –pregunta mi acompañante, señalándome a una pareja que saca dinero de un cajero automático–. Ingenuidad y extravío, como esos dos, la gente que tenía veinticinco o treinta entonces, como Amparo o como nosotros. No sabíamos muy bien adónde ir, al menos la mayoría. Veníamos de los ochenta, tan creativos y tan vivos, supuestamente tan románticos. E íbamos hacia la primera década del siglo XXI, la que logró en sus últimos años la consagración de la imbecilidad. Nos pilló en medio, indefensos. Muchas veces he pensado que eso sería suficiente para exculparnos. A ti y a mí individualmente no, claro. Digo como generación. ¿Has pensado que la primera guerra del Golfo es la que define esa década, y a toda su gente? Nos quisieron robar el petróleo y nos unimos como un solo hombre, todo Occidente, para ir a recuperarlo. Ahí se marcó el futuro. Petróleo, dólares, pasta. Nada de talentos en libertad, nada de espíritus creativos. Nos iban a quitar lo único sagrado, la energía para seguir avanzando hacia ninguna parte, y eso nos hizo saltar, mostrarnos como realmente éramos. Como realmente somos. Egoístas. Feroces. Asesinos.

Apenas le presto atención, fascinado por la irrealidad sobre la que camino, extrañamente en paz: calle Fuencarral, Barbieri, plaza de Chueca... El escenario, tiempo atrás, en los años noventa, de mi derrochada felicidad irresponsable. ¿Hacía cuánto que no paseaba por aquí? Reconozco ciertos locales, sorprendentemente idénticos a como eran entonces, copias exactas de los recuerdos que se conservaban en mi memoria. ¿Han permanecido abiertos todo este tiempo, casi veinte años? ¿O estoy soñando, a merced de las artes oscuras de mi acompañante?

–¿Quién eres? –le pregunto a bocajarro–. ¿Cómo te llamas?

Alza una ceja, condescendiente con mi ingenuidad.

–No tengo nombre –responde tranquilamente–. Nunca lo he tenido. Acabas por acostumbrarte, ¿sabes? Descubres que en realidad carece de verdadera importancia.

–¿Ni apodo? ¿Nada?

–No. Aunque se me ocurre... Podrías prestarme el tuyo. Igual que me vas a prestar para una copa... Miguel, llámame Miguel.

–Bien, pues Miguel... ¿Y la otra pregunta? ¿Quién eres?

–¿No lo sabes? Huí contigo.

¿Conmigo? Escapé solo, lo recuerdo tan bien como recordaría lo contrario.

–O más exactamente –puntualiza–, después de ti... Tú abriste el camino, demostraste que se podía salir de allí. Y te imité. También tengo mis razones para estar fuera, ¿sabes? He salido para lo mismo que tú…

–¿Sí? –pregunto sorprendido.

–También busco a una mujer... Por cierto, fíjate allí, al final de la calle.

Veinte metros más allá, la calle Infantas por la que caminamos se cruza con Fuencarral. Observo la ventana que me está señalando, en el tercer piso del inmueble de la calle principal.

Acodado sobre el alféizar, un anciano de larga barba y pelo blanco mira hacia la calle o tal vez nos mira a nosotros. A su lado hay una mujer joven, hermosa; instintivamente pienso que podría tratarse de su nieta. La escena recuerda a la que acabo de leer en tu prólogo: la joven Amparo Sanz Valles con el viejo brigadista. La ubicabas en mitad de una mañana soleada. Ahora es de noche, pero la oscuridad no logra desvirtuar el paralelismo.

–¿Qué importa ese detalle, Miguel? –dice el otro; ha debido de observar lo mismo que yo–. El tiempo es un accesorio del decorado, puro atrezzo. Igual que en un guión. ¿Lo importante es que sea exterior día? ¿O captar la esencia de lo que sienten y dicen los personajes? Acuérdate de Nocturno, cuando inventabas los argumentos. Siempre empezabas por el corazón del protagonista, por sus sentimientos. ¿Recuerdas? De Amparo lo aprendiste –y señala con la cabeza hacia la ventana de Fuencarral.

La joven de la ventana, de pronto, se ha quedado sola mirando al frente. Como en tu prólogo, el anciano brigadista, me permito llamarlo así, ha regresado al interior.

Entonces juego a pensar que he saltado en el tiempo, que soy testigo de la escena del pasado descrita en tu libro. Pienso que eres tú, y con ese embelesamiento te miro. Dudo que nos veas, o si nos ves no te fijarías en nosotros. Y suponiendo que reparases en mí, nada te diría mi persona: según mi juego, aún faltarían ocho años para que nos conociéramos. Estás a solas con tus pensamientos, pidiendo los dos deseos de la ventana que te regaló el viejo. Uno, mejor dicho. El otro, según tu confesión del prólogo, lo utilizaste hace bien poco. Me pregunto qué habrás pedido en esta segunda ocasión.

–Ser la mejor. Ser la mejor –la voz de Miguel susurra a mi lado tu vieja plegaria de ambición–. Ese afán lo precipitó todo. Lo relata en su libro. Pobre Amparo...

Y clavamos a la vez los ojos en la joven de la ventana.

–¿Cuántas veces ocurre cada día una escena así, sin que nadie le dé importancia? –se pregunta en voz alta Miguel. ¿Hay algo de malo en llamarlo Miguel?–. Una mujer cualquiera mira hacia la calle asomada a la ventana; un hombre cualquiera, o un niño, otra persona cualquiera, la observa observar. No se conocen, nunca se volverán a ver. Es el roce imperceptible de dos universos propios, ¿lo ves? Todo el infinito contenido en el cuerpo apoyado en la barandilla de la ventana del tercer piso. Y también en el cuerpo que camina por la calle y mira un instante hacia arriba antes de alejarse. ¿Cuántas veces, en este mismo instante y en todo el planeta, estará ocurriendo un encuentro similar?

De repente la mujer desaparece de la ventana. Miguel y yo nos sentimos como niños perdidos en la noche, este martes o miércoles de coordenadas temporales imprecisas.

–Has jugado a creer que era ella, ¿verdad? –me interroga Miguel; de mi silencio deduce la afirmativa respuesta. Saca tu libro del bolsillo y busca una página mientras sigue hablando–. ¿Qué día decía ella que había ocurrido lo del brigadista? Ah, aquí... Cinco de noviembre del noventa y seis... Dime, Miguel, ¿puedes asegurar que ese cinco de noviembre de hace diecinueve años no pasaste por la calle Infantas, y elevaste la vista hacia una joven que hablaba en la ventana con un viejo?

–¿Dónde me llevas? –pregunto para salir del aturdimiento al que pretende llevarme. La melancolía me invadiría si acepto que la que podrías haber sido tú eras realmente tú.

–Al Slogan. Te acuerdas del Slogan, supongo...

Lo recuerdo de forma vaga, sí. Y en el acto, por el simple hecho de nombrarlo él o rememorarlo yo, nos hallamos mágicamente ante su entrada. Estaba situado en una callejuela, a dos o tres manzanas del lugar donde nos hemos detenido a mirarte en la ventana de la pensión, pero podría parecer que las hemos recorrido en décimas de segundo.

Todo tiene causa lógica, y este paseo inexplicable no ha de ser una excepción. Antes o después se aclarará y mostrará su razón de ser. Igual que en mis historietas, por muy enrevesadas e inverosímiles que parecieran al principio. Adquirirá su sentido al alba de esta noche imposible en la que me siento relajado y a salvo, como entre las paredes de un sueño. Por ello decido abandonarme y disfrutarla.

El cierre metálico del viejo bar de copas se halla bajado a medias, y nos vemos obligados a doblar la espalda para acceder al interior. La música suena a volumen muy bajo, apenas audible, y el olor denso a cerrado nos golpea al cruzar el umbral. No hay clientes ni camareros, pero Miguel se acoda sobre el mostrador con la confianza levemente arrogante de quien sabe que será bien recibido.

Voy recordando poco a poco el local, sus detalles. Conocía tantos bares en el pasado... Bares que nunca eran especialmente importantes. Todos eran uno más, anónimo y prescindible. La barra del Slogan sigue siendo de aluminio, como entonces. Constituía el único lujo de este tugurio rectangular, alargado, pintado de negro y rosa chillón, donde nos hallamos. Lo recorro con la vista. Paso la mano sobre la barra plateada, miro los rostros de los viejos actores de Hollywood que me sonríen desde los retratos colgados sobre el gran espejo donde antaño nos reflejábamos los clientes, y ahora Miguel y yo.

De las entrañas del local surgen una serie de ruidos: una puerta que se abre; otra puerta, o la misma, que casi en el acto vuelve a cerrarse; alguien que arrastra mesas y sillas sobre el suelo del saloncito interior; lo recuerdo de pronto, forrado de negro y con un par de neones por toda iluminación, acogedor a pesar de la oscuridad o precisamente a causa de ella.

Aparece un hombre portando una fregona. Es el camarero, que ultima los detalles antes de abrir al público. En cuanto nos ve, deja el cubo y viene hasta nosotros.

–¿Qué van a tomar?

–Gin tonic para mí –se apresura a responder Miguel con agitación apenas controlada; la perspectiva del alcohol, sin fruslerías de 0'0, excita sus neuronas–. Una cosa... ¿Conoce a una mujer que trabajaba aquí? La estoy buscando. Ya sé que estuvo ausente un tiempo, pero... Se llama Petra.

Petra.

La primera vez que escucho tal nombre, eso creo. No obstante, me pongo en guardia.

–¿A qué Petra se refiere? –pregunta, indiferente, el camarero.

Miguel le clava la mirada en silencio furioso. Por un instante, intuyo que va a saltar la barra y golpearle hasta matarlo. Sin embargo, se limita a añadir:

–Una chica rubia, más bien bajita. Servía en esa esquina de la barra.

–No me suena. Aquí trabajaron varias rubias, pero fue cuando el negocio iba bien. Ahora no da para más sueldo que el mío. Cogí el local en traspaso, maldita la hora.

Miguel asiente. Percibo su decepción; puede que su desolación. Luego, logra impostar una alegría seguramente falsa.

–¿Otro gin tonic para ti? –dice guiñándome un ojo. Parece desconocer mi pasado. Y sonríe. Creo que le divierto.

–Agua –digo tajante y grave. Él suelta una risita de superioridad.

El camarero me sirve el botellín de agua en un vaso bajo que deposita sobre la barra de aluminio, ante mí. El agua siempre me ha parecido triste, una crueldad inhumana para el bebedor sediento de otra cosa. Muerte en vez de vida, impotencia trabajosamente labrada a mano por uno mismo.

Tras atendernos, el camarero continúa con su tarea. Restriega la fregona por el suelo de sucia goma negra, al que la humedad da brillo por un instante, antes de que el agua se evapore y resurja el color grisáceo, de vieja ceniza incrustada en él sin remedio.

–¿Has visto qué hijo de la gran puta? –escupe Miguel con odio–. ¿Cómo que a qué Petra me refiero?

–Ha cogido el traspaso hace poco, no la recordará...

–¡Bah! ¿Sabes qué haré si no la encuentro?

–No...

–¡Vengarme! –susurra cargado de agresividad contenida; y veo, al fondo de su mirada, resolución verdadera, fiereza–. Vengarme de quienes me la arrebataron. Sé quienes son, los tengo perfectamente localizados. Ninguno escapará. A este cabrón a lo mejor me lo cargo de propina, porque sí.

Respira dos veces muy deprisa, con ansiedad, como si meditara qué insultos añadir a los ya dedicados al camarero, pero al poco el silbido de sus pulmones se apacigua; y, como si así pudiera borrar la inesperada violencia de sus exabruptos, vuelve a sonreírme antes de beber un largo trago que deja su gin tonic mediado. Bebe como bebía yo. Sin misericordia para sí mismo.

–¿Tú te acuerdas de Petra? –y me mira, ahora, como un perro apaleado; parece confiarlo todo a que recuerde a la mujer rubia, sea quien sea–. También la conociste.

Asiento vagamente, para que me deje en paz, sin tener ni idea de qué me está hablando. Termina su copa con el segundo trago, igualmente largo, ansioso e insuficiente para apagarle la sed. Si se propone azuzar mi deseo de beber, va a acabar por conseguirlo. Ya me ha hartado, él y también su Petra.

Va siendo hora de librarme de su compañía.

Va siendo hora de regresar a...

–¿Regresar adónde, Miguel? –pregunta entonces de un golpe seco, con repentino fuego en los ojos.

No puedo evitar dar un paso atrás, helado y mudo.

–¿Eh, Miguel? –vuelve a la carga, acercando un poco su rostro–. ¿Adónde quieres regresar? Anda... Invítame a otra copa.

Sigo mirándolo estupefacto. ¿Tanto se me ha notado que quiero largarme?

–¿Dónde estoy?

Ahora, de repente, sí me urgen las respuestas sobre esta alucinación con apariencia de noche madrileña. En este instante, justo en este instante, podría no estar ya a salvo. Suponiendo que en algún momento lo haya estado.

–Dirás dónde estamos... –responde Miguel–. Yo también estoy, ¿no? Estamos los dos.

Chasquea la lengua en señal de satisfacción por la ginebra ingerida, que lo empapa de vida falsa, aunque vida al fin y al cabo. Reconozco ese brote revitalizador, lo experimenté un millón de veces: euforia burbujeante, de sabor ligeramente dulce, que resucita todas y cada una de tus vísceras desde la pura alegría y se contagia, imparable, a la mente. Poderío, fe y autosuficiencia invictas... Lo recuerdo de cuando fui un bebedor joven y razonablemente feliz. El poso de una copa llamaba a pedir la siguiente con impunidad y despreocupación, sin consecuencias. Todo era hermoso, demasiado tiempo atrás. Nada se sospechaba mortal.

Tras el trago Miguel parece más joven y resuelto, incluso físicamente fortalecido. La crispación que atenazaba sus músculos y le oscurecía la mirada se ha evaporado. Pide otra copa elevando la mano en el aire en dirección al camarero, con seguridad en sí mismo que me irrita, forzándome a reaccionar:

–No voy a pagarte más copas.

–¿Ah, no?

Me mira con los ojos muy abiertos, como un adulto guasón que pretendiera meter miedo a un niño impresionable. Por un momento creo que va a carcajearse sin poder evitarlo, pero se limita a sacar del bolsillo un objeto que oculta en el puño izquierdo.

–Si me pagas otra más, solo una, te enseño lo que tengo aquí.

Y coloca el puño sobre la mesa, sonriéndome con maldad traviesa.

–¿Ha pedido otro gin tonic? –se acerca el camarero hasta nosotros.

Miguel me mira, esperando mi aprobación. Asiento. El camarero le sirve la copa y se aleja.

–¿Te acuerdas de este llavero? –pregunta entonces Miguel.

Y como un mago dueño de trucos inimaginables abre la mano y la aparta, dejando sobre la barra un manojo de llaves engarzadas en una arandela metálica de la que pende, a modo de adorno, una reproducción coloreada de la figura de Batman, al acecho y envuelto en su capa negra.

Contemplo estupefacto al diminuto hombre murciélago. Solía hablarle, dirigirme a él en silencio cuando lo tenía ahí, justamente ahí, posado sobre la barra de cualquier bar, de docenas de bares. Batman inmóvil, paciente, comprensivo, como Dios en la oscuridad inescrutable del confesonario... Batman salvador, junto al vaso lleno de Miguel.

¿Cuántas veces me ensimismé ante este llavero? Incluso inicié así una historia de Nocturno: viñeta a toda página con el fondo de un vaso en una esquina y en el centro, protagonizando el dibujo, una llave que abría alguna puerta misteriosa. La segunda plancha de la historieta se iba a componer de seis momentos sucesivos del mismo encuadre: la llave seguía ahí, inmóvil; pero lo que dotaría de movimiento a la escena sería el vaso de la esquina, que el camarero iría rellenando con nuevo hielo, limón, ginebra, tónica, golpe de cucharilla... A la vez, los bocadillos del diálogo nos contarían los pensamientos de Nocturno, taciturno ante la llave pero resuelto a dar su siguiente paso: salir a la calle tras el gordinflón de esmoquin blanco que bebía champán junto a dos rubias alquiladas; ponerse a su espalda en el momento en que para llamar a un taxi alzaba el brazo derecho, alejando así la mano del revólver oculto en la sobaquera; degollarlo entonces con un corte seco, profundo; huir entre las sombras antes siquiera de que el gordinflón chocase contra el suelo, escupiendo sangre a borbotones sobre las finas sandalias de tacón dorado de las estupefactas chicas.

Perdí ese llavero en un hospital. Recuerdo la angustia, aquella noche en la sala común que se hallaba vacía, sin más candidatos a la muerte que yo. Abrí los ojos sedado, pero con la convicción de que un par de cervezas frías disolverían todas las ansiedades físicas y metafísicas; excepto, precisamente, una muy concreta: la pérdida del llavero. En esa época, por entonces tú ya te habías ido, el apartamento era mi refugio. Bebía en la calle y me encerraba después en él, exhausto y acechado por fantasmas burlones, despectivos con mis debilidades y casi siempre crueles, pero allí me creía a salvo del hostil mundo exterior. O bebía oculto entre sus paredes, atrincherado tras una muralla de cervezas, sintiéndome seguro en esa fortaleza que el enemigo no necesitaba tomar por asalto porque ya se hallaba dentro, dueño de todo. La conciencia de la pérdida del llavero se convirtió, aquella noche de hospital, en una obsesión y un suplicio. Sin la llave, así de simple, no podría entrar de nuevo en casa. ¿Y entonces? Metafísica pura, universo de borracho. Veía a tres pasos de mí el armarito donde habían guardado mi ropa. Tras la frágil puerta metálica reposaba el pantalón en cuyo bolsillo derecho, junto a las monedas, si es que quedaba alguna, debía de estar Batman con la llave de acceso a la guarida negra. Pero un médico con irritante exceso de celo había decidido sujetarme con correas a la cama, y en la interminable noche únicamente pude atormentarme con vívidas imágenes de mi inminente exilio en las calles. Por la mañana, apenas me liberaron de las ataduras para llevarme a la entrevista con el médico, rebusqué entre mis ropas. Y en efecto, el llavero no estaba. Recuerdo el repentino topetazo contra el desamparo, la conciencia de que mi vida entera era aquel pantalón desmadejado y hueco que olía mal. Pregunté a los celadores por el llavero. Nadie sabía dónde estaba, pero eso carecía de importancia, dijo en tono maternal una de las enfermeras. No iba a necesitarlo durante algún tiempo. Me encolericé como nunca antes. No podía volver a casa y aquella enfermera me pedía paciencia porque, según ella, para nada necesitaba el llavero.

–Por eso lo he traído, porque sé que lo has echado de menos... –sonríe Miguel. ¿Por qué tiene mi llavero? Dice que huyó conmigo, o después de mí. Tal vez lo robó de mis bolsillos; tal vez también le gusta Batman, y por eso lo guardó. La segunda copa le está sentando bien. Resulta más simpático que antes, su leve halo tétrico se ha evaporado. Saca una de las llaves del manojo y la deposita sobre la barra.

–¿Me equivoco o esta es la llave de tu última casa?

Calla y se queda mirándola. Parece consciente del subrayado que su pausa otorga al momento.

–¿Te gustaría visitarla? Tranquilo, que no vive nadie en ella. Está vacía. No sufras por eso.

Ignoro cómo puede estar seguro de que está deshabitada, pero lo cierto es que la visita resulta tentadora.

Volver a casa, a mi última casa antes de... Tomo aire, un escalofrío me recorre el cuerpo pausadamente, como si se demorara en cada terminación nerviosa o en cada poro de la piel. Guardo la llave en el bolsillo.

–Anda, ve –anima Miguel–. Yo acabaré la copa y luego iré en busca de Petra. Y más tarde, cuando la encuentre, te buscaremos. Así la saludas. ¿De acuerdo?

Se aleja sin prisa hacia el interior del bar, mirando uno por uno a los rostros hollywoodienses de la pared.

Salgo del local y regreso a la noche, la respiro profundamente. Tomo el camino de casa.

Recuerdo a aquel viejo exiliado argentino. Me contó su historia en una pizzería del Barrio de las Letras. En su país había sido un izquierdista notorio, allá por los primeros años setenta. El golpe de Videla lo pilló regresando en coche a Buenos Aires desde no sé qué capital de provincias. Siguiendo consignas de seguridad previamente acordadas con sus compañeros de clandestinidad, llamó a un número de teléfono apenas se enteró de la noticia. Una voz desconocida le urgió a huir de inmediato, sin pasar siquiera por su casa, que la policía ya se encontraba vigilando. Había un billete a su nombre en el aeropuerto, y cada segundo era crucial. Colgó, condujo deprisa, irresponsablemente. Tres veces estuvo a punto de matarse y mil más le aterró la idea de estar corriendo hacia una trampa, o de que fuera demasiado tarde y los policías hubieran llegado antes y le estuvieran esperando. Obsesionado, aceleró contra ese imaginario furgón militar que intentaba llegar al aeropuerto antes que él. Valoró abandonar el coche, huir por los campos, esconderse... En el aeropuerto, mientras recogía la tarjeta de embarque empapado en sudor helado, la apariencia de normalidad era tan grande que llegó a imaginar que todo había sido una broma de sus compañeros, que no había existido el golpe de Videla. Al poco, el avión despegó con él a bordo, y comenzó su peor pesadilla apenas el piloto estableció el rumbo hacia Europa. De todo lo infinitamente malo, recordaba en la pizzería treinta años después, de todo lo infinitamente peor, nada puede resultar más demoledor para un ser humano que verse arrancado de su casa sin derecho a una última mirada, sin un instante para decir adiós en silencio a los recuerdos adheridos a las paredes, a los muebles, a los libros... Nunca volvió a Argentina, pero muchas veces se preguntaba qué habría sido de aquel ejemplar de *El vizconde demediado* que aguardaba en la mesilla su regreso, aquel veinticuatro de marzo que se diría acontecido tantos siglos antes. Era un habitual de la pizzería. Tomábamos el aperitivo casi todos los días, durante una época. Luego, de repente, no vino más. Y eso fue todo. Como él en el aeropuerto aquel primer día de su éxodo, los habituales del local llegamos a pensar que nunca había existido nuestro amigo argentino exiliado.

¿Qué libro dejé yo sobre la mesilla?

También salí de mi casa únicamente con lo puesto. Acabo de recordarlo al ver la puerta.

Bajé a comprar unas cervezas, pasé por el cajero para sacar dinero y allí, cuando me disponía a teclear la cantidad que deseaba sacar, no sé por qué recuerdo ese detalle concreto, sentí que mi mente se desintegraba y perdí el conocimiento. Me auxiliaron, me llevaron en ambulancia. Esas imágenes desdibujadas se hallan en mi cabeza como carpetas sin archivar. Las veo, las tengo delante de mis ojos pero no sé a qué fecha corresponden. Hay un muro transparente entre ellas y mi lucidez. Veo aquellos hechos, los rememoro en sus detalles más concretos, pero no puedo ubicarlos temporalmente.

Acaricio la puerta cerrada de la que fue mi casa, y me emociono como si la madera contuviera un conjuro mágico. Se me humedecen los ojos al comprender que este instante me pertenece por entero, nos pertenece a la casa y a mí. Somos como amantes al reencontrarse tras mucho tiempo, en un lugar por fin merecidamente sereno, dispuestos a revisar inofensivas fotos del pasado feliz perdido en el tiempo, y persuadidos de que podríamos tener una segunda oportunidad, limpia, honesta. Nadie nos molestará en la rememoración.

Partir de cero tú y yo. ¿Cuántas veces has soñado con ello? Yo cada día.

Se sigue apreciando el mismo desconchado de humedad en la pared, tal vez un poco más extendido, pero igualmente seco desde tiempo atrás. Por lo que parece, siguió creciendo tras mi marcha, alimentada por alguna tubería rota que acabarían por arreglar, y entonces se secó. La mancha de humedad nació, vivió y murió ajena por completo a mi existencia, a mis preocupaciones y desvelos. Rozo el leve resto de suciedad amarillenta sobre el yeso, y recuerdo cómo lo usaba de referente, faro amigo en el mar brumoso de la borrachera, para asegurarme de que mi puerta era mi puerta, y no me disponía a introducir la llave en la cerradura del vecino.

Pulso el timbre por precaución, por melancolía, porque sí. No suena, continúa estropeado después de tanto tiempo. ¿Cuántas veces decidí que al día siguiente, sin falta, lo arreglaría? La puerta cerrada es una puerta abierta, una tira de viñetas leída desde el desenlace hacia el comienzo. Mi vida hacia atrás, aunque en realidad se trate de un paso al frente, dubitativo y pesimista pero inminente. Asomo del subsuelo, apenas las yemas de los dedos, sin atreverme todavía a mirar el azul del cielo... Ese reencuentro, tras el horror, es lo que me emociona cuando toqueteo la puerta como si buscase la forma de moldearla para convertirla en un cuerpo que poder abrazar. Reencuentro, viñetas en orden inverso. En alguna de ellas podrías estar tú, extendiendo la mano hacia mí con un susurro en los labios:

Partir de cero tú y yo. ¿Has soñado alguna vez con ello?

Tomo la llave, la introduzco en la cerradura. Encaja silenciosamente, como aire que rozase seda invisible. Me siento un ladrón. ¿Y si a pesar de todo la habita alguien? No, Miguel dijo que está vacía. ¿Y por qué lo sabe?

Giro la llave, no se produce el menor chasquido, ni la menor resistencia. El silencio persiste, la suavidad me asusta. Pero la puerta está abierta.

La empujo.

Entro.

Escruto la oscuridad interior como si entre las sombras acecharan diablos. Mi mano, a tientas, busca instintivamente el interruptor en la pared de mi izquierda. Entonces, antes de que se conecte la luz eléctrica, restalla ante mí una imagen oculta en la memoria:

Veo mi mano, en otro momento del pasado, tanteando la pared en busca del interruptor... La palma, herida aquella vez por un corte leve pero espectacular que nunca supe cómo me había hecho, fue dejando sobre la pared un rastro de sangre. Pero, borracho como estaba, no fui consciente de ello, y solo por la mañana, al despertar en el cenagal de mi angustia empapada en sudor, me percaté de que tenía la mano izquierda extrañamente pegajosa, dolorida e hinchada, sucia de sudor y de sangre seca. La herida, aunque había dejado de sangrar de forma natural, manchó las sábanas y la almohada, mi pecho y mi cara, según vi al correr alarmado hasta el espejo. Mi obsesión hipocondríaca de aquellos días solía ser la imagen recurrente de un vómito repentino de sangre, que temía y aguardaba con terquedad, y me hizo absurdamente feliz comprobar que la sangre provenía de la mano. Me reí, celebré jubiloso la gran victoria del tajo sobre el pavoroso vómito imaginario. Nunca me dieron miedo las fracturas, los moratones ni los cortes superficiales; cualquier herida apreciable a simple vista se me antojaba tranquilizadora, forzosamente inocua. Por el contrario, la noción de las células hepáticas, estomacales, pancreáticas o de cualquier otra clase pudriéndose por el castigo del alcohol me forzaba a recogerme en la cama, bajo las mantas, incluso en verano, convertido en un ovillo tembloroso, a merced de los espantos generados por mi delirio. Aquel tajo en la mano, por tanto, no me preocupó. Me herí muchas veces en mi época de bebedor suicida. Nunca fue grave, era peor la desazón posterior que el hecho en sí. Aquella tarde de la sangre, tras ingerir algunas cervezas estabilizadoras, me dispuse a iniciar una historia de Nocturno, que había entrevisto a medias en la borrachera de la víspera; como tantas veces, había sido fructífera, creativamente hablando. Me hallaba sentado a la mesa de dibujo, con el lápiz en la mano, una cerveza cerca y un poco de rock euforizante de fondo, cuando por primera vez fijé la vista en el interruptor de la luz. Entonces vi el rastro que había dejado mi palma ensangrentada. Inquieto, sintiendo repugnancia, corrí a limpiarla. No me asqueaba la sangre seca, sino el estado etílico que había propiciado la herida, además de mi amnesia sobre la causa concreta del tajo. Al entrar en la cocina para buscar un paño, también vi trazos de sangre: en la puerta de la nevera, sobre el metal de una cazuela donde conservaba algún resto de guiso, pegada al borde del plato y al mango de la cuchara que se veía en la pila, bajo el grifo. La sangre ilustraba, casi en viñetas, la secuencia de un sonámbulo que había entrado hambriento a la cocina para comer, de pie junto al fregadero y sin recalentar siquiera, la carne de la nevera. Tras limpiarlo todo, empecé a rastrear por la casa en busca de más restos de mi propia sangre seca. Encontré en el baño minúsculas costritas rojas adheridas a la taza y al lavabo, también sobre el cartón de la cajita de aspirinas efervescentes y en un vaso con dos dedos de agua; al parecer, mi cerebro había dado la orden de disolver en agua dos comprimidos, pero no así la de tomarlos. Un impulso irreprimible me ordenó sacar a tirones las sábanas de la cama, y meterlas en la lavadora junto a la ropa de la víspera. Cuando la puse en marcha y vi el tambor girar segregando espuma, conseguí una higiénica sensación de paz. Decidí relajarme, salir a dar un paseo, tal vez tomar una cerveza en la calle. Pero al salir del piso seguí viendo sangre. En la puerta, junto a la cerradura, y en la madera de la barandilla. La limpié, bajando las escaleras con un paño húmedo disimulado en la mano. No quería que los vecinos me viesen; siempre que me cruzaba con alguno de ellos tras una noche borrascosa, tenía la convicción de que me miraban como si supieran todas y cada una de las cosas vergonzosas o innombrables que había cometido la víspera, y sin embargo era incapaz de recordar. Incluso en el buzón me pareció ver un leve rastro rojo. Pasé el paño sobre él y me asomé a la calle. ¿Dónde más, en la inmensa ciudad, habría gotas de mi sangre? Para combatir la inquietud, agregué las sombrías reflexiones a la historia de Nocturno sobre la que me hallaba trabajando. Así exorcizaba monstruos y mataba fantasmas, trasladando mis miedos al papel.

Sangre seca que reposaba olvidada: esa es la imagen que me ha dado la bienvenida, de vuelta a casa.

Me asalta una idea y corro a comprobarla. En el armario del baño continúan almacenadas las cajitas de farmacia con las pastillas verdes que guardaba para una emergencia. Y esta lo es, o debería entenderla como tal. El doctor me dijo que convenía no interrumpir con brusquedad la medicación. ¿Convenía o era imprescindible? ¿Cómo dijo exactamente? ¿Y cuándo lo dijo? ¿Hace cuánto tiempo? Aun así, debería tomar las pastillas verdes. Y sin embargo, esta percepción alucinada y hermosa de la noche de Madrid, de mi casa y de mi vida, me tienta para no hacerlo. Y la escucho a ella en vez de al médico. Las pastillas verdes podrían devolverme a la somnolencia y al hastío. Prefiero quedarme con estos colores silenciosos en desorden. Parecen inofensivos, y lo quiera o no me puede la curiosidad. Tú lo puntualizabas, al llamarme gato callejero: tanta curiosidad no es buena, sobre todo si se trata de curiosidad por lo malsano.

Veo luz al fondo, en la habitación pequeña, recogida, que usaba como estudio de dibujo; cariñosamente, en voz baja, solo para mí y para ti, la llamaba taller, y solía ser el lugar del mundo donde más seguro me sentía. Mientras avanzo hacia el taller por el pasillo, recuerdo su forma rectangular. La ventana se hallaba en la pared frente a la puerta, sobre el patio de vecindad; bajo ella, para aprovechar la luz natural durante el día, había colocado la sencilla tabla de madera con borriquetas donde bocetaba las aventuras de Nocturno. Ese era todo el paisaje que desde allí veía, la pared de yeso del vecino de enfrente. Lo elegí a propósito, se me antojaba una gran pantalla blanca de cine privado donde mi imaginación proyectaba los personajes que iba alumbrando.

Me asomo al interior del taller.

No está vacío.

Inclinado sobre la mesa hay un hombre dibujando. El potente foco que usaba para alumbrarme de noche ilumina su figura. La identidad del extraño me produce curiosidad, más que miedo o asombro. Sin saber por qué, sigo sintiéndome a salvo.

El hombre mueve la pierna izquierda a velocidad frenética, arriba y abajo, en un gesto de ansiedad que tantos dibujantes compartimos. Yo solía relajar así mis nervios mientras dibujaba, concentrado sobre el papel y ajeno a todo lo que no fueran esas líneas, rectas en mis buenos tiempos, de trazo tan vibrante que el lápiz parecía vivo y lúcido, nacido para crear. Juego a aceptar que el extraño soy yo, y me detengo un instante a contemplarme, conmovido y sin miedo por su presencia. ¿Cuántos años, si sumara todas las horas, he consumido sobre esa mesa? ¿Cuántas esperanzas y sueños, casi todos incumplidos, nacieron allí para estrellarse contra la pared blanca de enfrente? Este instante es una revelación que me resume. De todos los errores, y también de todos los horrores, sobrevive al final una sola cosa: yo dibujando con sinceridad y corazón, hora tras hora y año tras año; yo, buscando con tesón humilde la mejor línea recta, algo hermoso que perdure cuando me haya ido. Si he tenido algo bueno, es eso. Está aquí, ahora, a la vista. Es muy poco, puede que nada. Y sin embargo, me emociono.

Ojalá te tuviera a mi lado, amor. Me gustaría que vieras ahí sentado a este doble del gran dibujante que fui, que en silencio te acomodaras pegada a mi pecho para mirarme trazar líneas que hace mucho dejaron de ser rectas. Te añoro en ese gesto casi olvidado que practicabas a veces, acercarte sin ruido, observar por encima de mi hombro, rigurosa e inventiva, crítica porque me amabas y querías que trasladara al papel lo mejor de mí.

El hombre deja de dibujar y se lleva a los labios una copa que no había visto hasta ahora. Probablemente la tenía posada sobre la esquina de la mesa, junto al pie del foco; es el sitio más cómodo y lógico. Allí solía depositar yo también los vasos. Ignoro de dónde la ha sacado, pero no carece de lógica en esta reproducción del escenario de mi trabajo. Tener una copa al lado, siempre a mano, era uno de mis principales placeres al principio. Y al final, el único.

–Ven –dice suavemente el hombre, y reconozco en el acto la voz de Miguel. No puedo evitar sobresaltarme. ¿Cómo es que está aquí? ¿Se me ha adelantado? ¿Tenía otra copia de la llave?

Ha hablado de vengarse si no encontraba a Petra. Y no parece haberla encontrado.

–No, no la he encontrado. Ni rastro de ella –dice, sin dejar de dibujar.

Está obsesionado con esa mujer. Cree que a los demás nos importa.

Me acerco. No se gira para mirarme. Dibuja al Nocturno siniestro de los últimos tiempos, cuando el personaje había degenerado ya en fiera terminal y peligrosa, lejos de su rectitud moral de los comienzos y también lejos de las líneas rectas que me hicieron famoso, al otro lado de la luminosidad y de la nitidez; en las antípodas de los grandes héroes clásicos del cómic a los que siempre quiso emular.

–Miguel Ariza –recita Miguel mientras encadena trazos crispados sin levantar la vista. Me siento a su lado y observo su perfil. Hay un brillo cruelmente irónico en su mirada, son las señales inequívocas de la posesión alcohólica–. Famoso dibujante español de cómic nacido en 1968. Muy joven se trasladó a Madrid, ciudad en la que vive desde entonces, para intentar abrirse paso en el mundo de la ilustración. Colaborador de innumerables publicaciones, su fama mundial comienza a cimentarse gracias al personaje de Nocturno, que arranca en 2005 con la historieta titulada *El mundo se acaba todos los días*.

Es, palabra por palabra, el apunte biográfico que suelo enviar, o solía, a mis editores españoles y europeos. Mientras Miguel habla, surge de su lápiz febril la figura de cuerpo entero de Nocturno, desenfocada bajo una lluvia torrencial que golpea la ciudad de noche. Parece una aparición del averno, de rictus aterrador, avanzando amenazador con el machete de cocina que adoptó como arma asesina en los últimos tiempos.

–Ganador de numerosos premios internacionales, Ariza es un hombre reservado y enigmático, que ha decidido apartarse del frenesí urbano para vivir y dibujar aislado en el campo.

Miguel me mira. Ha terminado de dibujar y vuelve a coger el vaso. Apura el contenido de un trago.

–¿No es así? ¿No es esto lo que han publicado de ti en las contraportadas de tus libros?

No respondo. Espero. Tiene la volubilidad insoportable del borracho, un ser caprichoso e irascible que podría volverse agresivo. A mí solía pasarme sobre la tercera copa, sin previo aviso y sin retorno. Escucho su respiración. Densa y acelerada, refleja la enloquecida carrera interior de la mente desnuda, derrapando en curvas irreales que le sugieren ideas retorcidas y sucias, casi todas equivocadas.

–Ten cuidado, Miguel –me advierte de pronto, grave y sombrío–. No eres quien te imaginas.

Y tras la enigmática sentencia, vuelve a concentrarse en el dibujo.

¿Qué ha querido decir? De pronto, necesito escapar de él. El miedo se abre paso sobre las demás sensaciones. Quiero regresar al día soleado de tu pueblo costero. Únicamente deseo buscarte, verte, abrazarte. Para eso vine, huí para hablarte antes de que mueras. Al recordarlo, me invade la prisa. ¿Cómo he podido distraerme así? ¿Y si has muerto ya? Decido actuar, salir de la casa, escabullirme de Miguel.

–¿Escabullirte? Adelante, lárgate –me invita con un amplio gesto de su mano.

¿He hablado sin darme cuenta?

Intenta beber de nuevo, pero el vaso está vacío. Lo apuró hace un instante y no lo recuerda. Contrariado, se mete en la boca los restos de hielo y los tritura furiosamente con los dientes. Resulta obsceno, repugnante. También yo lo hacía cuando estaba a solas.

–¿Quién te lo impide? Vete, fuera de aquí. Pero no olvides llevarte esto...

Y saca del bolsillo trasero del pantalón tu libro. O más exactamente, el paquete que contiene tu libro, que sé que contiene tu libro... Lo olvidé sobre la mesa del apartamento, antes de salir en tu busca por las callejuelas del pueblo. ¿Por qué lo tiene él? ¿Entró allí después de irme? ¿Qué más ha hecho allí dentro? De pronto recuerdo, ahora sí con miedo, que me venía persiguiendo desde el principio.

–¿No quieres saber lo que se dice aquí de ti, lo que dice Amparo de ti? –reta, socarrón y seguro, insultante–. ¿O te da miedo, cobarde? Yo ya lo he leído. Te asombrará... ¡Tu querida Amparo! ¡Nuestra querida Amparo! –escupe con indignación que podría parecer emponzoñada de odio.

Alarga el paquete hacia mí.

–¿No quieres leerlo? –repite.

Puesto que no reacciono, me pone el libro en la mano y me fuerza a cerrar los dedos alrededor. Luego comienza a empujarme hacia la puerta. Ya ante ella, deposita en el bolsillo de mi camisa tres o cuatro folios doblados en cuatro, y también unos lápices.

–Toma, por si quieres dibujar... Así que quieres irte de mi lado. ¿Qué palabra usaste? ¿Escabullirte, no? Pues venga, vamos... Escabúllete. Escapa de mí.

Sonríe antes de abrir la puerta e invitarme a salir.

–Será inútil. Por mucho que corras, no cambiará la realidad. No eres quien crees que eres. Mejor que no lo olvides.

Y me empuja hacia el descansillo con suavidad y firmeza. Cierra a mi espalda.

Quedo solo en la escalera, atrapado por una repentina premonición: no he llegado a entrar en la casa, en realidad únicamente he venido hasta ella para recordar viejos tiempos, un capricho de mi viejo y sentimental cerebro reblandecido. Miguel, por tanto, no se halla dentro. Tal vez ni siquiera existe, como el exiliado argentino para los habituales de la pizzería, como el golpe de estado de Videla para el exiliado argentino... Podría tocar el timbre para verificarlo. Pero temo que sea al revés, que exista y me abra la puerta, o temo que sea cualquier desconocido que habite ahora la casa quien me abra. ¿Qué le diría? Tengo miedo incluso del timbre. Si lo pulso, ¿sonará o no? Tampoco tengo las llaves. He debido de dejarlas dentro. O he soñado que las recuperaba, y en ningún momento ha vuelto a mí el viejo Batman diminuto de latón gastado.

Tal vez he venido hasta aquí por un instinto puramente animal, como el perro a casa del amo fallecido y enterrado tiempo atrás.

¿Cómo empezabas tu vieja carta, amor?

Nuestros recuerdos podrían llegar a destruirnos.

Si fuesen malvados, podrían engañarnos premeditadamente.

Y esas mentiras, si nos las creyésemos, llegarían a destruirnos.

Y diciendo la verdad también, Amparo. La verdad también puede destruirnos.

Muy despacio, como el ladrón que antes sentí que era, desciendo las escaleras. Se apaga la luz comunitaria, y elijo descender a tientas, golpeándome contra las esquinas, en vez de buscar el interruptor.

Salgo del portal. En la calle me siento más tranquilo; al fin y al cabo, es un lugar público. Todo el mundo tiene derecho a estar en él.

Antes me angustió no poder abandonar esta noche ficticia de Madrid. La veía como una jaula inmensa de la que era imposible fugarse, porque los barrotes estaban hechos de tiempo alterado, caprichoso, blando y por tanto inquebrantable. Pero ahora, al verme de pronto lejos de Miguel, me atrevo a concebir la forma más simple para huir de la jaula.

Atravieso la noche hasta la estación de Atocha. Tomaré un tren hasta tu pueblo, el mismo que tomé hace unos pocos días. Un plan tan simple como ese.

Entro al vestíbulo. Es tarde, el último tren salió hace un rato. Solo quedan unos pocos viajeros rezagados, gente perdida como yo, y los agentes de seguridad que patrullan las instalaciones. Debo esquivarlos, podrían pedirme que me identificara, y tal vez tienen conocimiento de mi fuga.

Pero lo fío todo a mi aspecto, que adorno de seguridad en mí mismo al sentarme en uno de los bancos. Los guardas pasan de largo, y por ahora me dejan a solas con mis pensamientos.

El gran reloj del vestíbulo marca los segundos. Nada detiene el tiempo. Nada. El segundero nos empuja hacia nuestro destino, el que alguien ha escrito o el que nosotros mismos nos forjamos y acabamos por merecernos. Contra esas cuerdas nos arrinconan los segundos.

A mí me han empujado hasta aquí.

Lo tuve todo, pero voy a dormir en un banco de la estación. Solo me consuela que no tengo sed, y que me siento con energía para llegar hasta ti mañana. Para hablarte sin bajar la vista.

Pienso en regalarte un dibujo, en dibujarme a mí mismo: yo solo en la estación, sin nada en propiedad ni calor humano alguno que me acompañe, con las luces a media potencia, lo que configura un aire de viñeta sombría... Extiendo uno de los folios sobre el banco de madera y dibujo a Nocturno sentado en un banco solitario de una estación de tren desierta, con la espalda encorvada y la cabeza gacha, las manos entrelazadas con los codos apoyados sobre las rodillas. Meditabundo, triste, desamparado. En esta tesitura, nada distingue al vengador de la noche de cualquier mendigo borracho que vague por los escenarios perdidos de cualquier ciudad. Pero Nocturno, este Nocturno desvalido y solitario, me hace un regalo maravilloso: si los guardas vuelven, se lo mostraré, y les diré que me dispongo a dormir en este banco porque deseo documentarme para una historia. Esta mínima cobertura me hace sentir aliviado ante la presencia de los vigilantes.

Me acurruco como puedo, todavía erguido contra el respaldo del banco.

El sueño me asalta, y acaba por derrotarme la sensación de abandono tentador... Vencer, durmiendo, al terrible cansancio de las últimas horas.

Duermo, y al dormir sueño mis dos sueños de siempre.

Sueño con mi *gran instante blanco*.

Sueño con mi *gran instante negro*.

Era la teoría de la vida de un borracho con el que intimé en un bar, no recuerdo cuándo. Me la contó, y yo la agregué a uno de los últimos guiones de Nocturno, precisamente aquel en que abandoné la vocación comercial para centrarme en la revisión crítica de mis propios pasos por el mundo, explorando sin miedo mis sentimientos más ignotos.

Todo ser humano, según aquel borracho, tiene adjudicados desde antes de nacer su mejor y su peor momento, el instante de gloria y la frontera más palpitante con lo tenebroso. Casi nadie, según el alcoholizado teorizador, es consciente de ello, y sería precisa una meditación seria en la edad anciana, una reflexión valiente, para ubicar esos dos momentos opuestos dentro de la propia existencia. Entre los escasos hombres verdaderamente lúcidos, los creyentes adjudican el origen del *gran instante blanco* a Dios, y al Diablo el del *gran instante negro;* los demás achacamos ambos al puro azar, al desorden del universo. Nunca volví a ver al borracho, y me adueñé de su teoría para elaborar un argumento. Pero además de robarle la idea, me obsesioné con ella. Reflexioné y reflexiono cada día sobre los dos *grandes instantes.* Siempre, desde aquel día, he tratado de señalarlos en mi biografía, y creo que lo he logrado.

Mi gran instante blanco.

Mi gran instante negro.

Muchas noches me provocan pesadillas. A veces los convoco ansiosamente, con tesón masoquista. Hoy, por supuesto, han comparecido también, puede que latiendo con más fuerza que de costumbre. Intensidad cargada de presagios, que me atenazan cuando abro los ojos.

Luz de amanecer. Silencio anómalo a pesar de que es de día, el día siguiente.

Me encuentro tumbado sobre uno de los bancos de la estación. Los guardas no me vieron, o si me vieron decidieron no molestarme. El agotamiento, en cambio, sí que pudo con mi dignidad, inútilmente esforzada en mantener el cuerpo erguido mientras dormía.

Me incorporo. El brazo derecho está dormido, muerto; debí de usarlo como almohada sin darme cuenta. A pesar de ello, un terrible dolor de cabeza me agarrota el cuello, y sube hacia el cerebro como un cuchillo al rojo.

Abro los ojos. Me ciega un estallido de luz blanca, que remite parcialmente cuando me esfuerzo por enfocar la vista. Es la luz del sol colándose por los amplios ventanales de la estación.

Muy de cuando en cuando, en los lugares masivamente transitados como las estaciones o los aeropuertos, se dan instantes mágicos de paz, sin presencia humana. Una vez, en el aeropuerto de Barcelona, revisaba las pruebas de una aventura de Nocturno, tranquilamente acomodado en la cafetería próxima al puente aéreo. Era una historia árida, con diálogos en algunos casos no definitivos, que exigía máxima atención: mi héroe se halla de pronto, como si despertara de un sueño, en el centro de la pista de baile del Wild Side, con sendas pistolas automáticas de cañones humeantes en las manos; a su alrededor, en sanguinolento semicírculo, hombres y mujeres vestidos con disfraces, todos acribillados a balazos. Es la fiesta de Nochevieja, y Nocturno no recuerda haber entrado al local, ni mucho menos haber disparado contra esa gente inocente... Llevaba un rato ensimismado en la corrección, y cuando de pronto levanté la vista no vi a nadie. Asombroso, recuerdo que pensé, ni un alma en El Prat... La curiosa sensación se convirtió en inquietud de inmediato. Busqué al camarero que me acababa de servir, pero se había metido en la cocina, y no estaba a la vista.

Me puse en pie, di unos pasos... Localizar a una persona, a una sola, se convirtió en una prioridad absurda, la confirmación de que no se había producido una hecatombe nuclear de la que yo habría sido el único superviviente. Avancé por el pasillo, casi corrí... Durante unos momentos que se convirtieron en progresivamente terribles, persistió aquella soledad inverosímil. De pronto, escuché un rumor lejano, de mucha gente en movimiento. Me vino a la cabeza aquella película de Danny Boyle en que los londinenses se habían vuelto zombies. Apreté el paso en su dirección, poseído por el afán de resolver el misterio. Al salir del pasillo vi a la silenciosa multitud apretada ante una de las puertas de llegada. Trataba de comprender qué estaba ocurriendo, cuando alguien lanzó un grito salvaje. Entonces rugieron todas las gargantas, y comenzaron a dispararse flashes de cámaras en dirección a la puerta, por la que surgieron los miembros de un equipo de fútbol. La masa los vitoreaba, pero podría interpretarse que buscaba lincharlos. Supe por un chaval a mi lado que el Barça acababa de ganar en Bilbao su tercer título consecutivo de Liga. La explicación me irritó. Regresé hacia mi mesa parsimoniosamente, orgulloso de mi escisión del grupo, recreándome en disfrutar de la percepción de los pasillos vacíos a los que la algarabía, sin embargo, había logrado arrebatar toda la magia. Y sentado otra vez frente a las pruebas del cómic, con toda la cafetería para mí, me sentí aún más solo de lo que estaba. Desde la viñeta última de la historieta, Nocturno me miraba, preguntándose aterrado cómo había sido capaz de matar a toda la gente del Wild Side sin recordarlo siquiera.

Ahora, en Atocha, se da uno de esos rarísimos momentos de tranquilidad, con casi nadie a la vista. Pero enseguida comienzan a cruzar hacia la salida viajeros presurosos, lo que me indica que algún tren acaba de llegar. Y hacia allí me encamino, dirigido por un juego tantas veces practicado a lo largo de estos años que casi se ha vuelto instinto natural.

Un tren, en efecto, acaba de entrar en la estación. Tampoco hay demasiada gente en los andenes. Se me ocurre la explicación de que tal vez es domingo. Hace mucho calor. Una anciana mendiga, que debía de hallarse acechando la llegada del tren, se acerca a los viajeros pidiendo unas monedas. Tira de un viejo carrito de la compra, con chirriantes ruedas metálicas, y dedica, únicamente a los pasajeros masculinos que viajan solos, una extraña y ensayada reverencia antes de extender la mano para pedir limosna.

Veo al poco a la persona que me he detenido a esperar.

Es un muchacho joven, de menos de veinte años. Camina airoso, contento, mirando hacia los altos techos de la estación como si contuvieran algo digno de ser visto. Se cruza con la anciana mendiga y, generoso como parece sentirse con la vida y con el mundo, le da unas monedas. La anciana se lo agradece con una reverencia adicional que él, camino ya del vestíbulo, no ve.

Voy tras él, conmovido y expectante.

Ha entrado al bar. Lo observo, apostado en una esquina. Pegada a las paredes del estómago, la melancolía me invade como un doloroso bálsamo espeso.

–Un café –dice alegre. Está feliz. Es feliz. Ha llegado a la ciudad de sus sueños, o eso me permito interpretar.

Y entonces, mientras remueve el azúcar, me concentro para tratar de sentir lo mismo que está sintiendo él. Rememoro mi propia llegada eufórica a la ciudad, el 15 de agosto de 1985. Lo he recordado muchas veces en estos años, visualizándome en cualquier joven viajero que me recordase a mí mismo... Me veo entonces, tomando una servilleta del montoncito dispuesto en un plato sobre la vieja barra. Tras mirar alrededor en busca de inspiración, escribí unas palabras en ella, prometiéndome a mí mismo que recordaría ese momento el resto de mi vida.

Ignoraba que sería incapaz de incumplirlo, y que como tantas otras cosas se volvería un doloroso juego de autocastigo.

«Miguel Ariza llegó a Madrid para comérselo. Escrito el 15 de agosto de 1985, día de La Paloma, a las doce menos diez de la mañana, nada más poner el pie en el suelo de la ciudad».

Un sentimiento pueril de trascendencia había impulsado mi mano al escribir sobre la servilleta. El hilo que nos separa del abismo y del vértigo es invisible y frágil.

El joven se toma el café de un sorbo y sale. Como siempre, no puedo evitar seguirlo hacia la salida, ir tras él cuando ha cruzado el umbral y se detiene un instante a contemplar la glorieta de Carlos V, absorbiendo con la mirada, la mente y el corazón la esencia de Madrid. Pleno e invencible, respira hondo y se aleja calle Atocha arriba camino de su vida adulta, como en su día hice yo.

Me dan ganas de abordarle, de avisarle de los peligros que implican la arrogancia, la vanidad, la tentación de comportarse impunemente, el desconocimiento de que todo, todo sin excepción, pasa factura.

De repente, por asociación de ideas, se me ocurre un hermoso argumento: un hombre se topa consigo mismo treinta años atrás; con el que era treinta años antes. Habría sido una gran historia de Nocturno. Guillermo Gervás cuando era un niño, mucho antes de ser adulto y mucho antes de convertirse en asesino profesional, se topa una noche con un misterioso ser envuelto en oscuridad y misterio, un perturbado que mata gente imaginando que cumple así alguna venganza por inconcretas injusticias del pasado. O al revés: Nocturno, cuando ya está cercano a su propio final, ve a un joven que le recuerda a sí mismo, y lo sigue fascinado hasta descubrir que, en efecto, se trata de él... Pienso qué buenos momentos habríamos exprimido, juntos tú y yo, de esa idea base, Amparo. Y en mi extravío, me dejo arrastrar por ese sueño maravilloso. Tal vez sea posible, según cómo se resuelva nuestro reencuentro.

De nuevo, juntos tú y yo...

El muchacho asciende hacia la puerta del Sol, ya casi perdido entre la multitud. Todas las expectativas del mundo bullen contenidas en él, como bulleron en mí.

Durante los primeros días pernocté en una pensión de la calle León. La elegí porque el portal, muy antiguo y espacioso, me impresionó. Y cuando la primera noche, al caer sobre la cama rendido por tantas emociones, quise volver a contemplar mi servilleta, descubrí que me habían robado la cartera. Pero, visceralmente optimista, no permití que el suceso adquiriese rango de presagio negro; al contrario, en ese mismo instante pensé que se trataba de un regalo del destino. Podría contar la anécdota con nostalgia y emoción cuando por fin fuese un dibujante rico y famoso.

Me gustaría fundirme con ese chaval, probar suerte otra vez, junto a él, dentro de él. Daría todo lo que tengo por otra oportunidad.

Pero no tengo nada. Solo soy un náufrago solitario, perdido en el mar de gente de la glorieta de Atocha.

Durante años, hasta que las oscuridades se abrieron paso en mi vida, pensé que la llegada ilusionada a Madrid era, y sería siempre, mi *gran instante blanco*. ¿Existe mayor felicidad que la de ser joven y ver tus sueños al alcance de la mano? Tal vez porque esa intensidad emocional es difícilmente superable, pensé durante mucho tiempo que la llegada a Madrid fue el *gran instante blanco* de mi vida. Pero me equivocaba. Porque, aunque yo no lo sabía entonces, y todavía me llevaría años averiguarlo y asimilarlo, nada en la vida de un ser humano es verdaderamente grande si no está relacionado de una u otra forma con el amor.

Amor.

Esa palabra atraviesa mi mente y en el acto vuelvo a ver a Miguel, como si ambos conceptos estuvieran ineludiblemente relacionados.

Reconozco a mi extraño compañero de viaje al otro lado de la plaza. Se halla de pie ante un local comercial con los cierres echados que de inmediato me hace pensar en el Slogan, aunque la ubicación real del bar está en otro punto de la ciudad. Se encuentra de espaldas, con el cuello torcido y la cabeza extrañamente gacha. Los peatones pasan junto a su lado sin prestarle atención. Solo yo me fijo en él.

Entonces comienza a girar, igual que si se tratara de un truco cinematográfico, una de esas plataformas giratorias que permiten el movimiento del protagonista sin que este pierda su estaticidad. El gesto de su cuello, lo descubro gracias al cambio de ángulo, se debe a que besa a una mujer más baja que él. Una mujer rubia cuyo rostro no alcanzo a distinguir. ¿Será Petra?, me pregunto cuando ambos separan sus bocas y ella apoya su cabeza en el hombro masculino en actitud que resulta sinceramente amorosa. Siguen girando, así abrazados y estáticos. Cuando se hallan en el ángulo adecuado, Miguel levanta la vista y sus ojos se clavan en los míos. Transeúntes desenfocados cruzan entre nosotros como una muralla en movimiento, pero el fuego de sus ojos me captura entre las cabezas antes de dedicarme una sonrisa obscena, inimaginablemente cruel, lasciva o demente. Siento de repente todos los miedos que antes, junto a él, no llegué a experimentar. Es la cara de un loco.

Me asusto y cierro los ojos. Ruego que haya desaparecido cuando vuelvo a abrirlos.

Pero ahí siguen, él y la mujer rubia, frente al cierre echado del local que podría ser el Slogan. Nadie, aparte de mí, ve la avidez animal con la que se besan de nuevo. Miguel parece haberse olvidado de mí. Van a hacer el amor ahí mismo, es tan evidente como inaudito. La rubia, con una amplia sonrisa de satisfacción, rodea con las manos la cintura masculina y se deja caer hacia atrás todo lo que su espalda da de sí. Los dos torsos forman prácticamente un ángulo recto. La rubia es la personificación de lujuria sucia más pura y más feliz de serlo, y la inequívoca invitación sexual de su risa encuentra respuesta en Miguel. Intuyo que va a penetrarla, pero lo que hace es echar su puño derecho hacia atrás, tomar impulso, y golpear con brutalidad el rostro de la mujer.

Doy un salto hacia atrás, aterrado.

La nariz chorrea sangre, pero sigo oyendo la risa escandalosa de la rubia. Casi he sentido el puñetazo en mi cara, casi siento que es mía esa sangre que escupe la boca femenina y mancha la camisa de Miguel. Entonces reparo en que su camisa, su camisa azul, estaba limpia de sangre hasta un instante antes. ¿Son las manchas que vi desde el principio?

Sangre de Petra.

Indiferentes a ella, los dos amantes se besan otra vez, más salvajemente; restregándose los labios ensangrentados como devoradores de sangre ajena a punto de copular.

No quiero ver más. Me aparto, huyo de la escena sin intentar siquiera convencerme de que ha tenido que ser alguna clase de alucinación.

Y, mientras mi respiración se acompasa, me refugio como tantas veces en ti. Respiro hondo, sentado en uno de los bancos de la plaza. El sol me obliga a entrecerrar los ojos, me relaja. Ayuda a mi memoria, facilitándole el recuerdo de aquel lejano y memorable día.

El verdadero, el único *gran instante blanco* de mi vida.

¿Qué me importan Miguel y Petra mientras pueda seguir evocándolo?

El gran instante blanco

Los grandes momentos hermosos de nuestra vida deberían emitir una lucecita antes de producirse. Así estaríamos en guardia, tendríamos conciencia de hallarnos ante algo trascendente y probablemente irrepetible. Pero tienen lugar sin más, y por lo general no comprendemos su verdadera magnitud hasta mucho después, cuando ya son un recuerdo hermoso pero inaprensible en la mayoría de sus detalles.

Nos habíamos citado en un punto de la Castellana, frente al hotel Cuzco, para comer juntos. Llegué con antelación, y me entretuve observando distraídamente a la gente. Sentía una inhabitual calma interior, y me dejaba mecer por ella. Era el momento mágico de nuestra recién iniciada relación, el del amor perfecto, cuando todo es legítimamente dorado y resultan inconcebibles los nubarrones y despreciables los reproches.

Ninguna lucecita me avisó.

Me viste enseguida, apenas sonreí hacia ti, como si nuestras cabezas flotaran sobre las de los demás transeúntes. Elevaste el brazo, agitándolo para llamar mi atención, en un gesto natural lleno de dicha. Tras llegar hasta mi altura, pasaste un brazo alrededor de mi cintura y acercaste tu rostro hacia el mío, estirando un poco el cuerpo sobre los tacones para darme un beso simple y hermoso, hipnótico.

–¿Estás dormido o qué?

¿Recuerdas? Me regañaste cariñosa, con tu sonrisa más plena; y hablaste atropelladamente, sin dejarme reaccionar, como hacías siempre que tenías asuntos laborales urgentes entre manos. No estaba dormido, por supuesto; solo disfrutaba la felicidad de contemplarte, de saber que éramos uno. Hundí los dedos en tu melena, acaricié la suavidad de la nuca. Aspiré tu olor, ese mismo olor que ha viajado conmigo durante todo este tiempo en el que me he negado a pronunciar tu nombre.

–Vamos mejor en taxi en vez de pasear, ¿no te importa? Tengo un poco de prisa. ¡Cambio de planes! Ahora te cuento.

Y tomándome de la mano, tiraste suavemente de mí hacia la acera, a la vez que alzabas el otro brazo para detener un taxi.

Nos subimos a él. Irradiabas felicidad y energía, plenitud independiente de todo y de todos, por supuesto también de mí. No me necesitabas pero me amabas y, por ello, me elegías. ¿Hay mejor combinación?

–Casa del Libro, en Gran Vía –dijiste al taxista antes de volverte hacia mí y cogerme la mano, cálida como siempre, matizada con la tibieza aromatizada de tu piel.

–¿Y a qué viene tanta prisa? –pregunté–. ¿Cuál es ese cambio de planes?

–No puedo comer contigo, Miguel, tengo que ir a Barcelona. Una entrevista con no sé quién del Fórum, y pasado mañana otra entrevista a un pelmazo, otro, un escritor, no sé quién. Un coñazo... –entonces sonó tu móvil, y contestaste muy rápida, como siempre, pegándote el aparato a la oreja con un gesto preciso y mecánico–. ¡Sí, hola, te oigo fatal!

Nos habíamos citado porque te hacía ilusión que fuéramos a comprar un libro mío, por ese detalle ha permanecido desde siempre este encuentro en mi memoria como algo especial, irrepetible... ¡Querías comprar un libro mío! Llevábamos juntos unos tres meses, puede que menos. Por tanto, debía de ser alrededor de primeros de junio de 2004. He rememorado docenas de veces aquel momento, y sin embargo jamás he logrado definir con precisión la fecha exacta; creo que fue la primera quincena de junio, pero no podría asegurar el día.

Colgaste el móvil. Volviste a mirarme:

–Era el productor del programa. Parece que lo del Fórum es un chanchullo de especulación, ¿sabes? Y que... Oye –se te encendió de pronto la mirada, erguiste levemente el cuerpo dentro del taxi–, se me está ocurriendo una idea brillante.

¿Por qué no vienes conmigo a Barcelona? Tengo que pasar allí tres días, por esa otra entrevista que te digo, la del escritor, y me han puesto un hotel de puta madre.

–¿Y? –pregunté acercándome a ti. Recuerdo que deseé besarte antes de que pudieras contestar y lo hice. De todas formas, ya imaginaba cuál era tu idea brillante. Nuestras lenguas se unieron, se entrelazaron; se amaban como nosotros.

–Casa del Libro, aquí estamos –interrumpió el taxista–. Pero si quieren, les doy un paseíto por la M-30.

No escuchamos su ironía, o si la escuchamos nos resultó indiferente. Lentamente, nos apartamos uno del otro. Pagaste, le dejaste una propina tan generosa que me sorprendió. Pero estabas contenta, así de simple.

–¿Cómo que «Y»? –retomaste el hilo anterior al beso–. Pues que puedes venirte conmigo.

Entramos a La Casa del Libro. Por aquel entonces, yo aún solo había publicado una historieta en un volumen colectivo. Recuerdo que cogiste el último ejemplar de la estantería y que, para mi espanto, me susurraste al oído, camino de la caja:

–Voy a hacer como en aquella película de Audrey Hepburn.

No pude evitarlo. Mientras pagabas, informaste al cajero:

–Este es uno de los autores, ¿sabes? Miguel Ariza, el dibujante.

Me sonrojé violentamente, con total desproporción a la respuesta del empleado, que se limitó a dedicarme un vistazo indiferente de cortesía.

–Sobre lo de irme contigo, no sé... –balbuceé, tratando de cambiar de tema–. He salido de casa casi sin dinero ni tarjetas, tendría que volver y...

–Sacamos tu billete de avión con mis puntos Iberia Plus. Y el hotel allí está pagado, ya te lo he dicho. No tienes excusa.

Y no la hubo.

Dos horas después volábamos hacia Barcelona.

El avión fue todo nuestro, uno de esos puentes aéreos de primera hora de la tarde en los que apenas hay pasajeros. Pareció un regalo del azar.

Leíste mi relato durante el vuelo, te miré de reojo todo el tiempo. Recuerdo cuánto me importaba tu juicio, y qué nervioso me puso esperarlo. Pero aún así disfruté de verte pasar las páginas, concentrada en cada viñeta con intensidad tal que no paré de preguntarme si los dibujos o los diálogos te estarían resultando ingenuos, o incluso ridículos. Por un instante, bromeé pensando en sabotear el vuelo, así no tendría que escuchar tu opinión adversa. Ahora me imagino haciéndolo... Agarro tu mano y abro la portezuela del avión. ¿Hacia dónde saldríamos proyectados? Tal vez volásemos antes de caer en una tierra virgen, limpia de nosotros mismos y de nuestras obsesiones y mezquindades.

¿Podríamos partir de cero en una playa desierta, solos nosotros y nuestro amor?

Por fin cerraste el libro y lo depositaste sobre tus rodillas.

–No sé gran cosa de cómic... –dijiste, mirando al frente. Tu opinión, fuese cual fuese, no podía empezar peor–. O sea que lo que yo diga no vale de mucho... Pero, bueno... ¿Sabes lo que más me sorprende?

–No... –respondí tratando de mostrar una cautela medida, que no reflejase mi ansiedad ni te resultase ofensiva.

–Que es una historia de amor.

–¿De amor? –me sorprendí sinceramente. Era una historia sórdida, muy negra, sobre el hallazgo de películas pornográficas rodadas por oficiales nazis con prisioneros de los campos de concentración como forzados actores–. ¿Con tanta sangre y muertos? ¿Y todo ese sexo brutal?

–¿Qué tiene que ver? De amor, sí. De sentimientos. Él y ella follan delante de las cámaras, pero durante ese momento de sexo logran aislarse de la realidad del campo y vivir su amor. Es el triunfo del amor.

–¿Triunfo? ¿Tú crees? Los nazis los pillan y el castigo a que los someten...

–Sí, la verdad es que lo del agua es una pasada, sobre todo para la chica. Pero la historia tiene corazón. Esa es la palabra. Corazón. Es tierna, a pesar de todo. Me ha conmovido.

Tus palabras, ya lo sabes porque te lo habré contado mil veces, me llenaron de felicidad. A veces me he preguntado, y esto nunca lo compartí contigo, qué habría pasado si mi tebeo te hubiese dejado indiferente, o incluso repugnado como a tantos lectores y lectoras. Pero te gustó. Y me animaste a seguir.

–Amparo... –anuncié con cierta solemnidad–. Tengo una idea para un personaje nuevo, llevo tiempo dándole vueltas. Se va a llamar Nocturno. Es una especie de justiciero, un héroe. A lo mejor me puedes dar tu opinión. Mañana, tranquilamente, cuando estemos en el hotel –recuerdo que te pedí.

Aceptaste encantada. Según muchos de tus compañeros, antes que periodista deberías de haber sido guionista.

Y en el hotel, hablando de Nocturno en los días siguientes, lo pude comprobar.

–Venga, cuéntame lo de ese personaje que vas a inventar –dijiste tras salir de la piscina, dejándote caer sobre la tumbona; traías el cuerpo cubierto por gotitas de agua, adheridas por la crema bronceadora a la piel–. ¿Quién es Nocturno? Te advierto que esto del cómic no me interesa gran cosa; ni a mí ni a ninguna mujer, es decir, posible lectora, que conozca. Es cosa solo vuestra, de los tíos, vuestra faceta más infantil, o una de las más infantiles. Eso de que os sepáis de memoria todos los villanos de Spiderman y Batman siempre me ha llamado la atención. Me da un poco de risa, si quieres que te sea sincera. Perdona, ya me callo.

Supongo que te hice algún reproche cariñoso; o tal vez traté de explicarte, muy serio y solemne, por qué el cómic es, pese a quien pese, una expresión artística tan importante como el cine o la literatura, y de hecho hija de ambos. Sonreías con ironía cariñosa, y yo me dejaba emocionar por tu sonrisa. ¿Cómo imaginar que era la tuya una lozanía condenada a muerte? Dicen, y yo en parte lo creo, que todo está escrito. ¿También que por un cáncer fulminante, cruel e injusto, tu cuenta atrás ya estaba en marcha y apenas te quedaban once años de vida?

–Nocturno es Guillermo Gervás –expliqué como primera información de mi proyecto.

–GG, supongo –interrumpiste.

–¿Cómo lo sabes?

–No sé –dijiste medio en broma, sin imaginar que acababas de acertar–, simplemente lo intuyo. A lo mejor le has puesto ese nombre para que tenga dos iniciales iguales, y poder así dibujárselas en el pecho, como las dos «des» del ciego ese. Uno que salta mucho, con mallas rojas y cuernecitos.

Tu comentario despectivo sobre uno de mis héroes favoritos me dolió, pero lo oculté.

–Dare Devil –defendí, muy digno.

–Ese. ¿También le vas a poner «GG» al tuyo en la camiseta de saltimbanqui?

–¡No, no...! –me apresuré a mentir; pero en el acto descarté, mentalmente, todos los bocetos de

Nocturno en los que aparecía con uniforme convencional de súper héroe, y con una enorme «GG» doble dibujada sobre el pecho–. Busco una cosa con más... con más corazón.

–Bueno, pues cuenta. Voy a pedir algo de beber.

Ágilmente te pusiste en pie y fuiste hasta la pequeña barra situada al otro lado de la piscina. Me sentía afortunado porque me regalabas tu belleza. ¿Por qué la suerte me hace semejante regalo?, recuerdo que me preguntaba a veces. ¿Dónde aguarda la hoja envenenada del cuchillo?, pensaba mientras te veía inclinada sobre la barra para pedir al camarero, ocupado en la cocina, que nos trajera las bebidas.

El hotelito, a las afueras de la ciudad, era poco mayor que un chalé particular, y supongo que sigue estando en el mismo lugar. Aquel día de finales de junio de 2004 no había nadie en la piscina, aparte de nosotros. Los azules del cielo y del agua de la piscina solitaria constituían el entorno sensual, desinhibido de acosos, donde constatar que nuestro amor era cierto, palpable y esperanzado. Volviste desde la barra, trayendo una copa en cada mano, y te acomodaste a mi lado. Aguardaste mis palabras, sonriente. Yo di un sorbo a la copa antes de empezar a hablar. El líquido me entonó y dio brillantez a mi discurso. La frontera negra no estaba aún rebasada.

–Tengo algunas ideas vagas sobre el personaje. Quiero que sea un héroe de nuestro tiempo, y ambientar las historias en España. Pero en nuestro país resultan poco creíbles los villanos de cualquier parte del mundo, siempre parecen extraterrestres.

–Hay una ciudad en España ideal para tu cómic –aventuraste con osadía.

–¿Cuál? –no te había dado todavía ningún dato, pero quería saber qué conclusiones había sacado tu intuición.

–Marbella.

–¿Marbella?

–Sin duda. Estuve hace un mes cubriendo la muerte de Jesús Gil. La ciudad me pareció un decorado de película, sobre todo por la noche. ¿Cómo se llama la ciudad de Batman?

–Gotham... –dijc, repentinamente excitado por tu hallazgo. Marbella con sus mafiosos y sus folclóricas, con sus chanchullos, ajustes de cuentas y tópicos andaluces... Marbella-Gotham. Podía ser... E incluso mejor: la Marbella de algunos años después. Diez, por ejemplo. Una década.

Sentí ganas de besar tu inteligencia, tu belleza y tu genialidad. Y lo hice, te besé. Luego acabé mi copa.

–Gervás –seguí, dispuesto a exprimirte un poco más– tiene que haber sufrido un fuerte trauma, algo que por un lado lo convierta en un personaje conflictivo, atormentado e imprevisible. Esto es fundamental en un héroe que se precie. Un trauma muy potente que, además, le deje alguna secuela física, para que a los ojos de todo el mundo sea un impedido, y dar pie al juego de la doble identidad, también imprescindible.

–¿Un trauma como qué? ¿Por ejemplo, tetrapléjico? –soltaste de pronto, dejándome sin respuesta. Parecía excesivo, y sin embargo... Recuerdo que te pedí que desataras tu imaginación.

–A ver qué te parece... La invalidez de Nocturno está causada por la explosión de una bomba, ¿vale? No hablo de un atentado terrorista, sino de un ajuste de cuentas entre algunos de los muchos grupos mafiosos que hay en Marbella. Guillermo podría ser un asesino a sueldo. Mejor que un policía, ¿no? Más marginal. Y además, con pasado oscuro. Guardaespaldas del capo contra el que va dirigida la bomba, por ejemplo. Su cuerpo queda destrozado pero su jefe se salva, y en agradecimiento invierte una fortuna en recomponer a Guillermo. Resultado: incapacitado para siempre en una cama, con una columna vertebral nueva, de acero, y brazos y piernas falsos, también de acero. Bueno, a lo mejor es un poco excesivo tanto acero, lo ajustas a tu gusto. Su mente trastornada ansía venganza, y puede emprenderla porque a su cuerpo vamos a darle la capacidad de ponerse en movimiento mediante algún sistema... No hace falta que sea muy verosímil, ¿no? En estas historias vale todo. ¿Cómo se recargaba Robocop?

–No se recargaba –respondí, otra vez ligeramente ofendido–. Pero cómo se recarga déjamelo a mí. Tú sigue.

Muchas veces me he preguntado si en algún momento de ese torrente que liberaste solo porque te divertía fuiste consciente de que estabas alumbrando a uno de los personajes emblemáticos de la primera década del siglo XXI; el origen de mi fama, de mi prestigio y de todo ese dinero que tan mal me he empeñado en gastar.

–Gervás –dijiste de pronto– es un ataúd viviente.

–¡Eh! –recuerdo mi entusiasmo sincero al interrumpirte-. ¡Ataúd viviente! Un nombre buenísimo, genial. ¿Y si lo llamo así, en vez de Nocturno? *¡Ataúd Viviente!*

–Era solo una expresión, como título lo veo un poco hortera. Escucha: Gervás tiene el día entero para meditar, totalmente inmóvil, y la noche para desplazarse y actuar, pero siempre condenado a la soledad, su soledad de monstruo. Si exploras esa faceta patética, si le das prioridad sobre los mamporros y los tiros, puedes crear un buen personaje. Sus sentimientos, Miguel. La soledad del monstruo. Por eso nos gustan Drácula y Frankenstein, y todos los demás.

Acabé la copa y me zambullí en la piscina. El agua tibia y azul me pareció el futuro de gloria que aguardaba a Nocturno.

–Háblame de la chica –te pedí, emergiendo la cabeza.

–¿Qué chica?

–Todos los superhéroes tienen novia. Imprescindible. Por lo menos hay que resolver la presencia femenina. Aunque, según tú, ninguna mujer vaya a leer las aventuras de Nocturno.

–El que no las leamos os da, a ti y a los demás dibujantes, carta blanca para ser machistas. ¿Verdad? –dijiste con ironía.

–Pues sí, qué quieres que te diga –te provoqué.

Pero no me seguiste la broma. A tu mente le divertía el juego creador, y estabas ya unos pasos por delante.

–¡Berta Müller! –soltaste de pronto–. Una amiga mía de la facultad se llamaba así. Me encantaba ese nombre. Me habría gustado llamarme como ella, recuerdo que se lo dije y le hizo mucha gracia. Berta Müller, pianista en un local de Marbella. A ver... Nombre para el local. ¿El Wild Side? ¿Qué te parece?

Asentí, sonriendo. Estabas imparable. Te admiré, te amaba. Te admiro, te amo.

–El Wild Side, estupendo –me acerqué a ti, contemplándote desde el agua, con los codos apoyados sobre el borde de la piscina–. Y de la chica, ¿qué más me dices?

–Berta es hija de un especulador inmobiliario que llegó a Marbella, digamos, sobre finales de los años ochenta del siglo pasado, ¿vale? El padre hizo fortuna durante los años del reinado de Gil. Gervás asesinó al padre años atrás, mucho antes de conocerla.

–Ese será uno de los secretos terribles de Nocturno, bien. Los superhéroes deben tener secretos que los atormenten día y noche. Y Berta, se me ocurre, podría estar obsesionada por descubrir al asesino de su padre, es decir, a Guillermo Gervás, y dedicarse a seguir pistas para encontrarlo. Sigue.

–Berta, que fue niña prodigio al piano y al violín, se encuentra arruinada tras la muerte del padre, y tiene que buscar trabajo. Lo encuentra en el Wild Side, propiedad de uno de los hombres de confianza de Jesús Gil, que le da a elegir entre ser pianista o puta de lujo. Porque supongo que Berta tendrá que estar muy buena, ¿no? Teniendo en cuenta tu público...

–¡Desde luego, buenísima!

–El dueño del local, por cierto, es quien dio personalmente a Gervás la orden de matar al padre de Berta, y le resulta divertido emplear a la hija de su viejo enemigo. Una forma de humillación más. Ella, claro, elige pianista en vez de puta.

–¡Per-fec-to! –Y era verdad. Lo sigue siendo.

–Te regalo todo esto con una condición –dijiste acercándote al borde de la piscina–. Con dos condiciones, en realidad.

Te lanzaste al agua y nadaste hacia mí, rodeándome el cuello con los brazos. Ligeramente incómodo, busqué con la mirada al camarero para comprobar que no andaba por allí.

–La primera –continuaste–, que no seas tímido y olvides tu vergüenza. El camarero está haciendo la paella que le he pedido, precisamente para tenerlo entretenido, alejado de nosotros.

Introdujiste los dedos bajo mi bañador. Mi corazón latía entre el deseo y el pudor.

–¿Y la segunda?

–La segunda, que le pongas mi cara a Berta Müller. Para algo la he parido yo, ¿no?

Y en efecto. Berta, desde aquel día, tuvo siempre tu cara. En las historias publicadas y en aquellas otras que se quedaron en mi imaginación. Lo único verdaderamente hermoso que un dibujante puede hacer por la mujer que ama es dibujarla en sus obras. Y tú fuiste Berta Müller. Lo eres aún, y lo serás siempre.

Para Gervás, aparte del largo abrigo negro del que no se desprende jamás, y que emparenta a Nocturno con la tradicional capa de los héroes clásicos, busqué rostros premeditadamente opuestos al mío; según tú descubriste enseguida, era una forma obvia de, precisamente, ponerle mi cara al personaje, aunque por omisión.

Así pues, Berta y Gervás éramos tú y yo.

Así pues, Berta y Gervás somos tú y yo.

No era todavía consciente de ello aquella soleada mañana de junio de 2004; cuando, a pesar de mi apuro, logramos hacer el amor en la piscina mientras el camarero elaboraba la paella.

Hacer el amor en el agua contigo, después de haber creado al personaje de mi vida junto a ti.

Mi *gran instante blanco,* perdurando eternamente en mi corazón.

Después, a media tarde, saliste para tu entrevista, y me quedé solo en el hotel, anotando todo lo que habíamos alumbrado y algunas cosas más que fueron surgiendo mientras escribía.

Decidí que, tras la explosión dirigida contra su jefe, Gervás estaría en coma largos días, sufriendo el trauma y la angustia de su invalidez, y solo después de algunas semanas descubriría su capacidad para cargarse de energía y deambular por el mundo a salvo de las sospechas, perfectamente camuflado tras su notoria invalidez. Pero su viaje de ida y vuelta a la muerte le habrá creado, pensé también, una ansiedad metafísica. En el pasado, como asesino a sueldo sin escrúpulos, mató a muchas personas. Y ahora, en el baile con la muerte, mientras agonizaba, se le han aparecido todas sus víctimas, una por una. Nocturno necesita saber lo que nunca necesitó saber cuando se limitaba a guardarse en el bolsillo, junto al cheque, la foto de quien debía asesinar: ¿por qué jamás asomó en su corazón la misericordia?

Sobre este punto, sin llegar a aclarar aún del todo el temblor de la conciencia del personaje, pensé que mi creatividad se vería impulsada por una copa. Me vestí, salí al jardín con la idea de tomarla en la piscina, que a esa hora seguiría tranquila y solitaria, nuestra.

Pero apenas me asomé al exterior, ya con una copa en la mano, se desencadenó una intensísima tormenta de verano. El viento derribó las sillas y algunas mesas, también dos o tres sombrillas. El agua azul, rizada en su superficie por la fuerza del aire, parecía sufrir un terremoto interior.

Me desnudé, esta vez ajeno a cualquier pudor. El camarero, de todas formas, había corrido a refugiarse. Deposité la copa sobre el borde de la piscina y me zambullí, dejando luego que mi cuerpo flotara a merced de la lluvia. Al poco recuperé la copa y la bebí despacio, mirando al cielo repentinamente negruzco, poblado de nubes que parecían furiosas. Me sentía fascinado por el cambio climático, que parecía diseñado y creado en exclusiva para mí. Y, aunque no podía saberlo entonces, así podría haberse interpretado, puesto que la tormenta anunciaba, sin darme pista alguna sobre ello, la conclusión irremediable de mi *gran instante blanco*.

Es tal la intensidad con que suelo rememorarlo que el recuerdo de ese momento final en la piscina, bajo la lluvia, me deja irremediablemente desolado el corazón. Pero pago a gusto ese precio, tras haber vivido la euforia de recordarte entre mis brazos, inventando a Nocturno junto a mí.

Bajo la vista. Mi ángulo de visión encuadra los servilleteros situados sobre tres puntos de la barra de uno de los bares de la estación, adonde he regresado. Sonrío al verlos. Siempre he tenido la costumbre de escribir en servilletas, sobre la barra del bar de turno; ideas argumentales o bocetos de viñetas, a veces también personajes nuevos, normalmente villanos. Sus rostros y personalidades me vienen revelados de repente, y sé que no debo dejarlos pasar. En ocasiones he dibujado a personas que tomaban una caña o un café en la otra esquina de la barra. Panzer, el brutal mafioso albanés instalado en Marbella, tuvo siempre el rostro del corpulento pescadero de mi barrio, que desayunaba pan con aceite mientras yo tomaba la última copa de la noche. Colibrí, la famosilla relegada al olvido por el boicot conjunto de la prensa rosa, y devenida en sanguinaria asesina en serie de periodistas del cotilleo, estaba basada en la dependienta de una tienda de bisutería próxima; la veía a través del cristal del escaparate, siempre reclinada sobre una revista del corazón, probándose larguísimas uñas postizas de diversos colores chillones. Piel sin Piel, la joven promesa del porno desollada viva por un amante despechado, y cuya epidermis cobró vida para vengarse gracias a un sortilegio vudú, tenía el rostro y la opulencia corporal de una actriz más o menos conocida que durante una época se tomaba un whisky todas las tardes, a las siete menos cuarto, antes de comenzar la función en el teatro situado junto a otro de los bares que visitaba. ¿Cuántas servilletas habré emborronado con ideas geniales, o que lo parecían en el correspondiente momento de euforia etílica? Muchas de ellas las dibujé posteriormente, y algunas ganaron premios internacionales.

Pero ¿cuántas se habrán perdido o nunca fueron nada más que trazos sobre un papel que casi siempre acababa en el suelo del bar? A veces encontraba servilletas de papel arrugadas en los bolsillos, con ideas que podrían ser grandes. Pero era incapaz de descifrar la letra, y por tanto no podía acceder a ellas. En ocasiones pienso que me gustaría entrar a una librería, buscar en la estantería correspondiente a mi apellido y, junto a las obras completas de Nocturno reales, aquellas que una por una he dibujado y editado, encontrar milagrosamente otras obras completas paralelas, que llamo Nocturno Inexistente: los álbumes que nunca dibujé, pero sí boceté en alguna servilleta ilegible. Me gustaría llevármelos a casa y leerlos uno por uno con calma infinita, mimosa, buscando en cada viñeta el momento en que fueron inventados, sobre la barra de un bar o caminando por las calles, mi otra fuente de inspiración de probada eficacia.

El escaparate del bar me regala una imagen: Nocturno atrapado en un laberinto de cristal. De inmediato sé que ese chispazo visual desembocará en una buena idea.

Altísimos muros transparentes. Nada puede romperlos. Aíslan por completo el sonido, pero permiten ver a través de ellos. El laberinto es la vida de Nocturno, sus distintas etapas. Cada pasillo un año, o un mes; cada recodo un instante, o un sentimiento, o un momento crucial. Es la trampa en la que lo ha encerrado el villano de turno, a definir en otro momento posterior; construyo así: impactos visuales o dramáticos a los que voy agregando estructura, escenas complementarias, diálogo. Nocturno ve, al otro lado del cristal, al niño Guillermo Gervás, ahora también perdido en el laberinto; y el niño Guillermo Gervás ve frente a sí, cercano pero inaccesible, al ser sombrío en quien, sin imaginar cómo ni por qué, se convertirá en el futuro. Al continuar sus respectivos caminos, antes o después, por separado o juntos, se toparán con otras imágenes de su pasado –un crimen de Gervás, un momento de felicidad sexual con Berta Müller, el descubrimiento de la maldad por parte del pequeño Guillermo...– o de su futuro: Nocturno viejo y decadente, amarrado a la cama de inválido, con energía cada vez menor para sus correrías vengadoras; Nocturno cadáver, fulminado por un ataque al corazón, asistiendo a los preparativos de su propio entierro y aterrorizado porque, mudo e inmóvil, no puede expresar su deseo de ser incinerado ni su pavor a abrir los ojos en un ataúd bajo tierra; un miedo que le persigue desde que siendo muchacho soñó que se perdía en un laberinto transparente sin sonidos, donde un ser siniestro, lastimosamente patético, le pedía ayuda mediante señas desesperadas e incomprensibles desde el otro lado del cristal.

Todo son prolegómenos del *gran instante negro,* el otro platillo de la balanza de mi vida. Sé que se aproxima. Le corresponde resucitar, enseñorearse de mí, y decido tomar la iniciativa rememorándolo voluntariamente. Sé que hay componentes masoquistas en ello, pero carece de importancia.

Me acomodo en un banco de madera de la estación, mientras sigo aguardando al tren que me llevará hacia ti. El tiempo pasa despacio, aún queda un rato hasta la hora de salida. Aún tengo tiempo de recordar.

Y recuerdo mi *gran instante negro*...

Empezó un 22 de diciembre. De 2012 o 2013, hace relativamente poco. Y casi una década después de nuestras horas irrepetibles en aquella piscina de hotel.

Acepté entrevistarme con un psicólogo amigo tuyo debido a tu insistencia en ello. Lo sugeriste con amabilidad tierna y firme, desplegando elegancia y consideración; en ningún momento sentí que me amenazabas con abandonarme si no colaboraba. Irreprochablemente planteado, igual que lo planteabas casi todo. Se trataba de un simple chequeo para establecer mi grado real de dependencia, fuera física o psicológica, del alcohol; como un análisis de sangre para saber el índice de colesterol. Yo tenía la convicción absoluta de que podía dejar de beber en cualquier momento, y si no lo hacía era, simplemente, porque no me apetecía. El mismo discurso falso de todos los adictos. Como ellos, me sentía distinto y único.

A salvo.

«Viene usted acorazado», recuerdo que me dijo el afable médico. «¿Yo?», le respondí con sorpresa auténtica, o que entonces me pareció auténtica. Estaba impaciente por levantarme y marcharme, cosa que acabé por hacer sin haberme involucrado en absoluto en el experimento.

Salí de la consulta humillado y vagamente rabioso. Afuera reinaba el ambiente navideño, la normalidad. La radio del taxi que, con gran alivio, tomé para alejarme de la guarida del psicólogo, retransmitía el sorteo navideño de lotería. Me inundó la alegría por hallarme en la calle, dueño otra vez de mis actos y sin tener que tolerar lo que me habían parecido reproches benevolentes por parte del médico, como si yo fuera un niño pequeño y él el adulto que supiese por qué no se debe coger el tarro de mermelada del armario. Decidí, por él y contra él, festejar la Navidad como el resto de la gente, con euforia y desparpajo, tomando unas cervezas en mi bar del barrio. Solo que de pronto, para hacer más completa la victoria en esa guerra absurda que inventé porque sí, ordené al taxista dar media vuelta y volver a la consulta.

Me apeé y entré al bar que había junto a su portal. Nunca conté a nadie la dolorosa escena que allí se produciría. Mi triunfo, sentía, tendría mayor contundencia si ocurría en el campo del enemigo. Pedí una cerveza para festejarlo. Iba a arrasar en la batalla, pero estaba ya inmerso en el desastre. Y aconteció la catástrofe. El psicólogo entró en el bar con dos mujeres: la recepcionista de su consulta y otra algo mayor, tal vez su novia o su esposa. Me quedé helado, esa casualidad no me la esperaba. Mi victoria, mi supuesta victoria, no era más que una chiquillada cobarde, beber a escondidas justo al lado del lugar donde me habían prohibido hacerlo. Pero de ahí a enfrentarme real, físicamente al enemigo...

Los recién llegados se instalaron al final de la barra, alejados de mí, e inicialmente no me vieron. Yo estaba un poco achispado por las cervezas, aunque no lo suficiente para que se me escapara cómo interpretaría el médico la escena si llegaba a reparar en mí: ¡había empezado a beber nada más salir de su consulta, sin perder un minuto! ¡Era, como él había diagnosticado a primera vista, un alcohólico! El primer impulso fue salir corriendo, pero para ello tenía que pagar antes la cuenta. No podía arriesgarme a que el camarero me llamara a gritos, o saliera de la barra para impedir mi fuga. De pronto tenía dos enemigos: el psicólogo y el camarero; cuatro, si contaba a las dos mujeres, que sin duda creerían al médico cuando les explicara qué clase de patético enfermo era yo. El camarero vino hacia mí con la cerveza que le había pedido justo antes de que entraran los recién llegados. Con extraordinaria sangre fría por mi parte, pues la mujer del psicólogo levantó distraídamente la vista en ese momento y me vio, aproveché que depositaba el vaso a mi lado para pedirle la cuenta. El camarero sumó allí mismo, mentalmente, y dijo la cifra. Le di un billete para cubrir el total y dejarle, de paso, una buena propina. Era el momento de salir. ¿Por qué no lo hice entonces?

Me tentó la copa de cerveza helada, con su hermosa montaña de espuma blanca bajo la que aguardaba, revitalizador, el líquido helado de oro. Bebí, pues, de un trago. Apuré la copa sin quitar ojo al grupo de enemigos, y me encaminé hacia la puerta, razonablemente victorioso.

«¡Eh, señor!», gritó entonces el camarero. Me llamaba a mí, lo supe sin lugar a dudas. El muy imbécil había pensado que me confundí al dejar tan generosa propina. Lo maldije, pero seguí sin detenerme ni, mucho menos, volverme. «¡Señor, la vuelta!», insistió él.

Temí que, como había imaginado, me agarrara del brazo justo cuando estaba a punto de salir. Aceleré, empujé la puerta. «¡Señor! ¡Oiga!» En la calle, corrí hacia la esquina y me alejé hasta encontrar un taxi, sin volver la vista atrás. Solo me relajé una vez estuve sentado y hube indicado al chófer la dirección de mi casa. La mujer del psicólogo no me había delatado, lo que era lógico porque no me había visto nunca, no me conocía. ¿Cómo iba a saber que acababa de estar en la consulta de su marido? Tal vez, por culpa de los chillidos del odioso camarero, el psicólogo miró en mi dirección y me reconoció; o tal vez ni siquiera le oyó. La maldita duda en el aire, la peor de las opciones. El psicólogo era tu amigo, ¿y si efectivamente me había visto y te lo decía? Tú, pensé entonces, tenías la culpa de este bochorno innecesario, por haberme obligado a visitar a este inútil, que solo sonreía y repetía como un papagayo que ningún alcohólico reconoce que lo es. Decidí continuar el día bebiendo aislado de todos vosotros, como revancha y acto de afirmación. Te encontrabas de viaje por Málaga, creo, con no sé qué reportaje, y disponía de dos días completos, hasta la Nochebuena que pasaríamos en mi casa; dos días para beber yo solo, disfrutando de ello; sin compromisos de ninguna clase, excepto desarrollar los argumentos de seis episodios de Nocturno que me había encargado un suplemento dominical. Era una oportunidad magnífica de reciclar viejas ideas que en su momento rechacé por escasamente comerciales, o demasiado siniestras. Me apetecía mucho ponerme a ello... pero no ese día.

Pedí al taxista que cambiara de rumbo y me llevara hacia el barrio de Argüelles. A veces me producía una excitación especial beber en una zona inhabitual. «De vacaciones en Madrid», me gustaba llamar a esa inmersión por calles donde a nadie conocía y nadie me conocía. A veces duraban unas pocas horas, a veces más; en ocasiones, hasta un día entero con su noche y parte de la mañana del siguiente día. Mucha gente lo hace, bastante gente. Y aunque no lo hiciera nadie, ¿qué?

Entré en un bar lleno de estudiantes eufóricos, armados de litronas y vasos gigantescos llenos de distintas mezclas a base de alcohol barato. Pedí un gin tonic que me bebí de tres tragos. Busqué otro bar y pedí el segundo. Había mucha luz, gris intenso en el cielo sin nubes, y un frío ventoso que espabilaba el espíritu y seguramente barría la suciedad del aire de Madrid. Yo, al menos, respiraba muy bien. Decidí saborear esa segunda copa con calma.

Y bebí.

Mis últimos recuerdos lúcidos son la caída de las luces del atardecer, aquel veintidós de diciembre; conciencia de que al día siguiente había planeado comprar la cena de Nochebuena, que me comprometí a preparar para nosotros dos en mi casa. Pero luego, repentinamente, apareció un altísimo muro de vaguedad, inconcreción negra tras una cortina que desembocaba en un estrecho local sumido en penumbra y vieja música de los noventa. Podía ser el Slogan. Seguramente lo era.

No sé cuánto tiempo después, abrí los ojos en casa, vestido sobre la cama.

Este instante solía ser terrible.

Ser alcohólico es como llevar una rata rabiosa en el bolsillo. Cuando no bebes, la rata duerme, reposa; a veces oyes sus mínimos ronquidos siniestros, su respiración de bebé monstruoso al acecho. Pero si empiezas a beber la rata despierta de súbito, cuando menos te lo esperas, y te muerde. Aunque estás tan anestesiado que no descubres los imaginarios mordiscos en tu cuerpo hasta el día siguiente, cuando abres los ojos en un mundo hostil, puesto del revés, donde los lunes son jueves y las noches amaneceres. Piensas que debe de ser noche cerrada, y descubres que luce el sol del mediodía. Otras veces sí, otras veces es efectivamente noche cerrada. Pero, invariablemente, en ese despertar te preguntas aterrado:

¿Habrá mordido la rata rabiosa a alguien más?

Así empezaba uno de los relatos más sombríos de Nocturno. Algunos sospecharon que era autobiográfico.

El techo de mi habitación me dio una cierta seguridad, aquel día de diciembre. Contuvo a la rata o la obligó a replegarse bajo la cama. El color blancuzco de la pintura, con su pequeña grieta en la esquina derecha, fue un antídoto mínimo contra el maremoto de incertidumbre: me hallaba en casa. Inspiré dos o tres veces antes de decidir cuál era el primer paso que debía aventurar en este regreso a la realidad. El maremoto no se movía, era yo quien me hallaba dentro de él. O él dentro de mí, vertiginoso y colérico en mi cerebro dolorido. Me dejé arrastrar. No podía hacer otra cosa. Era un cadáver viviente, seguro que en el tanatorio había muertos con mejor aspecto. Dediqué el primer pensamiento a mi propia conciencia, al estado de salud del Yo. Respiraba con normalidad, punto uno y esencial. Punto dos: los dedos. Los pude mover sin problema. Luego las manos y los brazos. Movilidad sin disfunciones, todo en orden. Repetí la operación con las piernas. Creo que Nocturno surgió de estos terribles despertares, del miedo a haber provocado algún daño irreversible a mí o a otros.

Pero esta vez nada me dolía, aparte de las neuronas y de los alfileres retorcidos que parecía tener clavados en los ojos. Enfoqué. Me costó, pero logré visualizar el reloj. La aguja pequeña se hallaba en las once, y la grande se acercaba a las nueve. Once menos cuarto pasadas, y un sol apagado en la ventana. Es decir, once menos cuarto de la mañana. Bien, iba avanzando en el territorio desconocido del mundo hostil, y aún no me había topado con ningún horror insuperable. Tocaba ubicar el día, la fecha. La lógica decía que debía ser el veintitrés, y si la lógica se cumplía todo estaría en orden. Tendría tiempo de ponerme en forma, de bajar a hacer la compra... Me atreví a mirar el rectángulo interior de la esfera del reloj de pulsera.

Veinticuatro.

Vértigo. Náusea. Espanto.

Me incorporé como un resorte. Sentí que chocaba contra un muro de acero. La cabeza sufrió el impacto, pero resistió sin desintegrarse, aunque a costa de un dolor agudo que me erizó cada poro de la piel. Me dejé caer hacia atrás con un bufido agónico. Un sabor ácido, espantosamente vivo, me subió hasta la boca; tal vez me había tragado a la rata, pensé. Eructé con la esperanza de expulsarlo, pero no lo conseguí. La acidez siguió subiendo hasta golpear el cerebro y dejarlo en blanco.

Veinticuatro.

Tanteando con la mano sobre la mesilla, encontré el móvil y lo encendí. Estaba muerto, sin batería. Lo conecté al cargador a toda prisa, volví a probar. La amable voz indiferente a mis problemas de la telefonista electrónica me comunicó que había tres mensajes en mi buzón. Dos eran tuyos, relajados y alegres. Mucho trabajo, decías en ambos antes de despedirte cariñosamente: «Hasta pasado mañana», en el primero; «Hasta mañana», en el segundo. Hasta hoy veinticuatro, significaban ambos.

Hasta dentro de un rato. ¿Qué hora había dicho que era? ¿Once menos cuarto de la mañana? La sensación de que, si me organizaba, podía tener tiempo para hacerlo todo colisionó con el panorama espeluznante de bajar a la calle esa mañana de Nochebuena, con las tiendas llenas de gente comprando y niños felices y ruidosos molestando impunemente.

En el tercer mensaje, una voz desconocida de mujer se dirigía a mí con familiaridad, incluso en tono risueño o cómplice. ¿Cómplice de qué? Sin duda, la había conocido, y probablemente intimado con ella hasta un punto que preferí no intentar calibrar, durante las largas horas de la orgía etílica. Enigmáticamente, con voz ambigua pero seductora, deseable, la mujer susurraba que necesitaba verme.

¿Lo necesitaba?

Luego dejaba su número de móvil y, antes de colgar, estampaba un sonoro beso en el teléfono. Sentí miedo, como siempre que asomaba el espectro de la amnesia sobre los sucesos de la víspera. ¿A quién había mordido esta vez la rata rabiosa?

Me olisqueé. Emanaba de mí el olor habitual del bebedor en el proceso de recuperación de la consciencia. Indefinible pero también inconfundible: a bar cerrado, a espacio sin orear, a humo y sudor adherido al cuerpo a lo largo de muchas horas de agitación; sudor rancio fundido con tu ropa y tu carne, con tu alma si es que queda algo de ella. Pero ni rastro de olor a alcohol. Extraño; sin embargo, siempre es así.

Agradecí que el baño estuviera tan cerca de la cama. Fui hasta la puerta sin llegar a incorporarme del todo, con movimientos torpes y dolorosos. Preferí no mirarme todavía al espejo. Comencé a llenar la bañera. Mi motor eras tú. Te ocultaba, y te quería seguir ocultando, los días sombríos de mis «vacaciones en Madrid»; como si tú, con tu sagacidad, no los sospecharas. Como si no lo supieras.

Me quité la ropa, y parte del olor a cadáver embalsamado en humo se quedó en la camisa y el pantalón, en la ropa interior. Sobre el lavabo había un bote de cerveza abierto. Mi mano fue a por él sin necesidad de que el cerebro diese la orden. El bote estaba medio lleno de líquido tibio, sin fuerza; asqueroso, pero no lo suficiente para renunciar a su efecto curativo. Bebí, la mezcla de alivio y repugnancia me animó a buscar una cerveza potable en la nevera.

Y fue al salir del baño, camino de la cocina, cuando el corazón se me paró en seco.

Me parece recordar que grité, o por lo menos respingué.

Allí estabas tú, en el sofá situado bajo la claraboya. Inmóvil como una estatua, mirándome fijamente a los ojos.

Me sentí más desnudo de lo que realmente estaba. Irremediable, irreversiblemente ridículo. El bote mediado de cerveza caliente era mi única vestimenta, mi paupérrima protección.

Careció de sentido fingir normalidad. No dijimos nada. Por mi parte lo intenté, pero no hallé palabras. No dejabas de mirarme. Supuse que habías vuelto a Madrid antes de tiempo, viniste a casa y entraste con las llaves que yo había insistido en darte algún tiempo atrás. Preocupada por mí, extrañada de que no diera señales de vida. Concebí una posibilidad para salir del terrible paso. Me animé a probarla, ensayando una sonrisa cautelosa: «Has vuelto antes de tiempo... Iba a bajar a comprar para la cena...»

Respondiste como un mazazo, no he olvidado las palabras ni la dolida decepción de tu mirada:

–Nochebuena fue ayer, Miguel. He pasado la noche entera aquí sentada, pensando. Mirándote roncar. A media noche te despertaste, y ocurrió algo de lo que ahora prefiero no hablar. Quiero dar por supuesto que no te acuerdas.

Dejaste la llave de mi casa sobre la mesita junto al sofá. Ni un solo juicio, ni un reproche, ni una fisura por la que pudiera colarme para amagar una disculpa.

Y te fuiste sin más.

Mi *gran instante negro*.

Lo he desmenuzado infinitas veces con la memoria y con el corazón. Tal vez sin las palabras «mirándote roncar» habría sido posible la vuelta atrás. Pero el desprecio con que las dijiste reflejaban un sincero sufrimiento íntimo, una frontera sin retorno.

Permanecí quieto. Oí cerrarse la puerta de la entrada, y luego el rumor hidráulico del ascensor subiendo primero y bajando, alejándote para siempre, después. Con el silencio me atreví a respirar; creo que llevaba un rato sin hacerlo. Bebí un sorbo de la cerveza caliente. Ahora sí me repugnó. Todavía no era consciente de lo que acababa de pasar, y me esforcé por seguir sin pensar en ello.

«Ocurrió algo de lo que ahora prefiero no hablar. Quiero dar por supuesto que no te acuerdas.»

Me sumergí en el agua caliente, entre la espuma, con una cerveza nueva en la mano y otra en el suelo, bien cerca. Una ola húmeda de sudor me descendía por la frente. Los poros de todo el cuerpo se abrieron y empezaron a expulsar suciedad. El momentáneo alivio no eliminó la náusea en el fondo del estómago, pero la segunda cerveza sí lo consiguió. Casi siempre lo conseguía.

Fue entonces cuando reparé en las manchas de sangre seca sobre la pechera de mi camisa, que acababa de echar al lavabo. Colgaba desmadejada desde el borde, como el resto último de un cadáver sin huesos. Me incorporé, consciente del reflejo en el espejo de mi piel enrojecida por el agua caliente. Extendí la camisa ante mis ojos, intentando recordar de dónde salían las dos manchas de sangre seca a la altura del pecho.

La rata.

«Quiero dar por supuesto que no te acuerdas.»

Me palpé el pecho, lo examiné en busca de alguna herida, o rozadura. Pero no había nada. La sangre pertenecía a otra persona. ¿A ti?, pensé con terror.

Vaya en mi descargo, si esto fuera un juicio o si me importara lo más mínimo que algo fuera a estas alturas en mi descargo, que inmediatamente te llamé para aclararlo. Me empujaban la posibilidad de la culpa y el espanto de haber sido capaz de hacerte daño, lo que me resultaba inconcebible. Eran mi responsabilidad y mi conciencia las que, estallando, me urgían a buscarte. Sin embargo, tuviste el móvil desconectado todo el día. Algo también inimaginable para una mujer tan ocupada como tú. El mensaje estaba claro.

El hecho de que no quisieras hablar conmigo acabó, sobre la cuarta o quinta cerveza, por enardecerme. ¿Yo quería analizar lo que había o podía haber ocurrido, pedir disculpas si era necesario, y tú te negabas a ello?

Marqué en el móvil el número de la mujer misteriosa. En ese momento, pensé que lo hacía por despecho. Pero había otra poderosísima razón. Solo que no estaba a la vista. En realidad, nunca lo estuvo.

Mi dedo estaba sobre la tecla de llamada...

Lo que pasó a partir de ahí también lo he vivido en mi cabeza una y otra vez, hasta la obsesión y el agotamiento. Supongo que tú habrás hecho igual, y por eso ahora, cuando subo por fin al tren que en unos instantes me llevará hacia donde estás, solo anhelo saber qué habrás escrito sobre lo que nos pasó y todavía, creo yo, nos sigue pasando. Aunque sea a nuestro pesar.

Cuando ocupo mi asiento, pienso en la camisa de Miguel, también azul, y en el puñetazo que dio a la mujer rubia. Palpo mi propia camisa, arrugada y sucia pero sin manchas de sangre.

¿Por qué quiso mostrarme esa escena? ¿Dónde está Miguel ahora? Tal vez ha encontrado a Petra.

Para evadirme de las preguntas sin respuesta, rasgo el paquete que contiene tu libro.

Miro por primera vez tu foto, reproducida en la solapa interior.

Solías decir que era preciso encarar al objetivo con intensidad y fuerza, como si la lente tuviera ojos y tú amaras a quien se halla al otro lado de la cámara o dentro de ella, sea quien sea, lo merezca o no. El turbante que envuelve tu cabeza estiliza los ángulos de tu rostro, pero también certifica dramáticamente la existencia de la enfermedad, que sin embargo no ha logrado ni afearte los rasgos ni domesticar tu mirada. Junto a tu cara de papel coloco, mimosamente alisado, el boceto de Nocturno sentado en el banco de la estación, mi regalo humilde y sincero para ti.

Estás bella como siempre, aunque sea estando bella como nunca, de una manera distinta; aunque sea belleza en papel y puede que retocada por ordenador. Ajena al tiempo y a la inminencia de la muerte. Así te veo, así te siento en mi amor sin final, cuando aparto la vista de tus ojos y entro en tu libro, ansioso por conocer qué dices de mí en tus memorias.

Me encomiendo a tus palabras. Serán juez y verdugo.

Me matarán o me darán la vida.

[illegible] de [illegible] tal vez [illegible] nada.

Para [illegible] de las [illegible] su respuesta [illegible] el [illegible] el libro.

[illegible] por primera vez en todo [illegible] en la [illegible].

Solamente que era preciso encontrar al objetivo con intensidad y fuerza, como si la leche fuera dios, y [illegible] a simple vista o bien al otro lado de la [illegible] o dentro de ella, cualquiera sea lo [illegible] o no. El [illegible] que envuelve la cabeza [illegible] los [illegible] de un tiempo, pero también [illegible] para [illegible] de [illegible] que siempre [illegible] un [illegible] logrado [illegible] los casos, [illegible] demasiado [illegible] mirada, [illegible] la [illegible] de papel [illegible] el [illegible] de [illegible] el [illegible] de [illegible] en el [illegible] de la [illegible], quedando [illegible] en la [illegible].

Estás bella como siempre, aunque sea [illegible] bella como nunca, de una manera distinta. Aunque sea [illegible] que [illegible] pero [illegible]. A [illegible] el tiempo [illegible] la [illegible]. Al [illegible], [illegible] en [illegible], cuando [illegible] de [illegible] y entre [illegible] por [illegible] que [illegible] de [illegible].

Me encuentro [illegible] y [illegible].

[illegible] en la boda.

Televisión y sangre

Memorias

He matado a gente inocente y quiero confesarlo antes de partir.

Pero primero voy a explicar quién soy, quién soy realmente.

Amparo Sanz Valles.

¿Profesión? Creadora de programas de televisión.

¿Escrúpulos, esencia moral? Dejemos la casilla en blanco.

Que cada lector la rellene al final.

Sin embargo, sí es cierto que deseo, y creo que también debo, dinamitar mi imagen idílica de periodista triunfadora y solidaria con las grandes causas sociales, ganadora de prestigiosos premios internacionales y de distinciones populares a la simpatía o a la labor más humanitaria.

Pero, sobre todo, me apetece hacerlo.

Dinamitarla. Dinamitarme.

Mi muerte inminente tiene al menos la ventaja de que nadie tomará represalias. Después de muerto te dejan en paz, algo es algo. Y aunque no lo hagan, te da lo mismo.

Pero centrémonos ya en el objetivo de autodestrucción.

Este libro, por ejemplo, es un engaño. No lo he escrito yo, sino un profesional.

Un *negro*.

La enfermedad, con los terribles abatimientos que comporta, me impide pensar y teclear a la vez, razón por la que contraté a este ayudante. Una opción legitimada por mis dramáticas circunstancias, diréis los que me seguís queriendo y respetando. Y seguramente tendréis razón.

Sin embargo, me divierte empezar confesando que no soy yo quien ha dado la forma última a *Televisión y sangre*. Con ello quiero expresar mi absoluto desprecio hacia vosotros, lectores incultos y desinformados que habéis pagado por leer mi historia y la leeréis pase lo que pase, a pesar de que os esté escupiendo a la cara. Lo haréis porque os interesa el relato de las muertes que causé. Yo las llamo crímenes morales.

Ya os adelanto que no podéis ni imaginar a qué me refiero, aunque iré menudeando pistas para que tratéis de hacerlo. Aquí va una:

Cinco cadáveres en un amanecer nevado de 2014.

¿Os suena?

Pero volvamos al desprecio.

Sí, desprecio. Únicamente desprecio o esencialmente desprecio, eso siente hacia sus lectores el escritor que no escribe sus libros. Se trata de una de las mentiras más indignas y mezquinas que conozco, también una de las más satisfactorias en cuanto a vanidad se refiere.

Y así es como quiero que empecéis leyendo: sumidos en la duda, preguntándoos qué frases habré supervisado y cuáles no, o tratando de averiguar si hay fragmentos que el *negro* ha decidido incluir por su cuenta para extorsionarme después. Os aseguro que no. Obviamente, mi confesión invalida cualquier posible chantaje futuro por su parte.

Zozobra, sensación de tomadura de pelo, insulto... Pero seguís leyendo.

Queréis saber cómo mató a esos cinco muertos la que fue vuestra presentadora favorita entre 2007 y 2011, la más querida y la más guapa, la que tantas veces fue portada de las revistas especializadas e incluso de algunas del corazón. Por morbo continuaréis leyendo, aunque sea a escondidas, como si mis palabras fueran la película pornográfica que vuestros padres os prohibían cuando erais niños.

¿Os apetecen más insultos?

Aquí van.

Fijaos en el enorme tamaño de la letra, elegido para conseguir que estos folios alcancen un mínimo formato de libro al que poder marcar un precio suculento de venta.

El editor con quien acordé iniciar esta operación comercial hizo un gran trabajo. Es un hombre muy coherente con los tiempos que le ha tocado vivir, y profundamente crítico con su profesión y con nuestro mundo en general. Una vez realizó un acto de provocación pura que le honra.

Os lo cuento.

En 2010, cuando ya el derrumbamiento del mercado editorial tal y como se había conocido a finales del siglo xx era un hecho, editó y distribuyó una novela de un autor de cierto renombre que, divertido por la demencial propuesta, se había prestado al juego.

Consistía en publicar un texto incoherente en cuyas páginas centrales se habían insertado, sin orden ni concierto, fragmentos del Quijote y de una publicación pornográfica barata, además de capítulos al azar de otras obras previas del escritor que firmaba el engendro; todos con el mismo tipo de letra, lo que a simple vista le confería la apariencia de novela coherente.

El libro salió a la calle, tuvo su promoción y sus críticas –¡buenas y malas!–, se vendieron dos o tres mil ejemplares, el autor concedió entrevistas, atendió a lectores habituales y acudió a conferencias y mesas redondas sin que nadie, en ningún momento, hiciera la menor referencia al hecho de que, en rigor, la novela en cuestión no existía. Solo cuatro meses más tarde un profesor de Alicante, estupefacto por el descubrimiento que había hecho al leer «de verdad» el libro, llamó al autor para hacerle observar que en su texto se habían colado «cosas raras».

¿Alguien más había abierto la novela? ¿Alguien más la había leído?

En un chiste de la época, un escritor le preguntaba a otro: «¿Por qué la primera frase debe contener la novela entera?» El otro contestaba: «Porque lo dicen García Márquez y otros genios»; a lo que replicaba el primero: «No, porque nadie lee la segunda frase».

Afanosamente, el aguerrido editor trabajó mi texto para multiplicar los puntos y aparte; mirad cuántos van en lo que lleváis leído, y ved qué forzados e innecesarios son la mayoría de ellos.

Añadió alguna cita absurda para arañar dos o tres páginas extras, utilizó un papel grueso y caro con el objeto de que el libro tuviera prestancia física. Por supuesto, le concedió el honor de la tapa dura con sobrecubierta esmaltada.

Y si no convocó a un par de famosos para que, mediante sendos prólogos, echaran leña al fuego de lo que me dispongo a contar, fue únicamente porque me negué en redondo.

Ello fue debido a que el prólogo de este libro, esas dos o tres páginas en que cuento la primera entrevista de mi vida para preguntarme a continuación dónde se produjo mi transformación en monstruo, sí lo escribí personalmente, palabra por palabra. Los sentimientos que describo son sinceros, igual que la dedicatoria a mi hermana Eva. Igual que el vacío que me provoca la magnitud de la pregunta:

¿Cuándo se provocó mi transformación?

Trataré de analizarlo, ahora que sé que seguiréis leyendo a pesar de que, con todas las letras, os digo:

Dejad de leer. Os estoy engañando. ¿No lo veis? Este libro es una falsedad.

Pero sois iletrados e indignos. Idiotas y morbosos. Queréis saber cómo maté a mis cinco cadáveres del amanecer nevado de 2014, así que...

¡Adelante!

Pido consejo a mi editor sobre cómo empezar el relato, y él se manifiesta serio, profesional y tajante: «Empieza con un punto y aparte», me dice.

Y lo hago.

Hay que escuchar a los editores.

Punto y aparte.

¿Os cuento, para arrancar, quién es Joan Martín? Puede que se trate del verdadero, aunque involuntario, protagonista de esta historia. Nunca habéis oído hablar de él, no os esforcéis en buscarlo en vuestra memoria, ni tampoco os molestéis en hacerlo a través de Internet.

¿O empiezo por citar a «Los Muñoces»? Ellos sí os sonarán. Los hice tristemente famosos en mi programa *Sola contra el mundo,* durante el otoño de 2011.

También podría decir lo que pienso de todo aquello que dejé atrás a mediados de 2014. Es algo que antes o después deberé afrontar, de lo contrario mi legado quedaría cojo.

También puedo pensar en mi editor, y pulsar otro punto y aparte.

Sí, será lo más profesional

Punto y aparte.

Y a continuación, ahora sí, me decido por Joan.

Todos ignoráis quién es; pero por él, esencialmente por él, abandoné mi profesión cuando me hallaba en lo más alto. Por su culpa.

Joan Martín nació en Barcelona el cuatro de enero de 1999. Sus padres eran –y siguen siendo, pues viven aún– profesor de matemáticas en un instituto de enseñanza media, él; y empleada de unos grandes almacenes, ella. Joan era –y sigue siendo, pues lamentablemente tampoco ha muerto– hijo único. Guardo una foto suya de cuando tenía tres o cuatro años. Me la envió él mismo: rubio, gordito, simpático.

Podía haber sido feliz.

Nada presagiaba nada.

Os iré hablando de Joan a medida que la historia lo requiera.

Ahora me centro en lo que fue mi trabajo: la televisión.

Televisión y sangre.

Mi biografía.

En los primeros años del siglo veintiuno cobró especial sentido aquella vieja idea de que todos somos, además de nosotros, nuestras circunstancias. Sin ellas no se puede entender nuestra vida, ni lo que somos ni lo que una vez soñamos con llegar a ser, normalmente sin conseguirlo.

No pretendo excusarme, solo lo constato.

Quien dentro de cien años estudie la evolución política y social de la Europa de este siglo tendrá necesariamente que dedicar un largo capítulo a los medios de comunicación. Hemos sido y somos, junto a los políticos, las bases sobre las que se ha asentado el desastre.

Sin embargo yo sobreviví, aunque haya sido para toparme con una enfermedad mortal y fulminante a mis cincuenta y un años. Ante la proximidad de la muerte decidí confesar cuanto cometí, y es así como irrumpo en el mundo editorial. Pero esto ya lo dije. No importa, mi editor me aconseja repetir de vez en cuando para rellenar. Mi libro será un éxito. Yo presentaré al público la primera edición, aunque sea mi cadáver quien reciba los ejemplares justificativos de la segunda, y algún banco acabe por quedarse con los beneficios de la tercera y sucesivas.

Pobre mundo editorial. Pobres editores y sobre todo pobres autores.

Sobre principios de 2008, permitidme que haga un poco de historia, las bajas ventas de la literatura de ficción propiciaron entre los profesionales del sector la inquietud primero, y el pánico después. La tendencia a la baja que, desde 2002 o 2003, venía observándose en los adelantos pagados a la inmensa mayoría de los novelistas alcanzó sus cotas máximas, es decir mínimas, sobre 2007.

¡Pánico! Seres humanos corriendo despavoridos, como hormigas sobre las que niños depravados arrojan cartones ardiendo.

Muchos escritores conocidos –otro chiste de la época decía que este era el lado bueno de la crisis– dejaron de escribir, lo que paradójicamente no mermó el número de novelas publicadas. Las editoriales –cuanto más grandes y poderosas, más necesitadas de abastecer su maquinaria de círculo vicioso para no perecer– comenzaron a sacar libros de autores-basura, que comparecían con uno o dos títulos en el mercado antes de caer en el olvido para siempre, normalmente sin haber vendido más de mil o mil doscientos ejemplares de su obra.

En paralelo, todo parecía funcionar como siempre: los premios literarios multiplicados como panes y peces, los suplementos culturales repletos de entrevistas y críticas que nadie leía excepto el entrevistado y el crítico, las grandes fiestas del mundillo... Se encendían los neones de la casa del Terror, aun sabiendo que nadie iba a pagar la entrada para fingir que un pequeño susto le alegraba la tarde.

Pero fallaba la base primordial: el lector de a pie que entra en una librería y compra una novela escrita por un autor español actual.

Proliferaron los libros de no ficción y autoayuda, de historia y biografía, los libros escritos por famosos en paro –¿no lo soy, en rigor, yo?– y políticos, los libros escritos por no-escritores. Muchos novelistas, los que pudieron, se refugiaron en otras actividades; algunas relacionadas con la escritura en cualquiera de sus formas, otras no.

¡Pánico!

Fue preciso inventar formas nuevas de ficción.

Y ahí entramos nosotros, los medios de comunicación en general y la televisión en particular. Ahí entré yo.

Perdón, olvidaba el punto y aparte.

Ahí entramos nosotros.

Ahí, sobre todo, entré yo.

Mi carrera os es bien conocida, todos sabéis que empecé en una tele local el año 1996, tal y como he relatado en el prólogo, y que tardé apenas una década en alcanzar popularidad y prestigio. Los mimos de la audiencia, tan anhelados por todos quienes trabajamos en esto, me permitieron cobrar cifras fabulosas y despertar envidias, dos logros muy satisfactorios cuando te encuentras arriba, segura de ti y de tu poder.

Sabéis quién soy y me recordáis, muchos de vosotros me habéis mandado muestras de adhesión y solidaridad por mi muerte inminente. Por tanto, no detallaré los pasos de mi biografía privada a menos que resulte imprescindible para la historia de *Los muñoces* y de Joan Martín.

Nuevas formas de ficción, decía antes...

Por ejemplo, esta:

2011, una odisea del espacio televisivo.

Una famosa presentadora se halla ante la encrucijada de su vida: su popularidad se encuentra álgida, como demuestran las encuestas y las ofertas de las distintas cadenas de la competencia, pero no ha tenido aún la idea genial para ese programa de oro con el que arrasar al comienzo de la nueva temporada que ya está encima, literalmente encima. Casi está decidida por la más suculenta de las ofertas económicas. Sin embargo, el riesgo es alto. Le exigen desde el principio unas difíciles cotas de audiencia, y no alcanzarlas puede situarla en una incómoda posición de desprestigio que tal vez no le importaría diez años más tarde, pero sí ahora, con su ambición profesional al rojo vivo.

¿Habéis adivinado que hablo de mí misma?

Así me encontraba, esa era mi situación el 24 de abril de 2011. El estreno estaba previsto para septiembre, me quedaban cuatro meses y seis días, pensaba ante el ventanal de mi estudio, con la mente en ebullición, irritada conmigo misma y puede que un poco asustada por primera vez en mi vida profesional. Acababa de comer con el director de la cadena, mostrándome muy segura. «Sí, tengo programa». Mentira. «Sí, te lo cuento detallado el lunes», me había comprometido. Mi mesa rebosaba de papeles emborronados. Docenas de notas, pero ninguna idea realmente distinta. Y una cuenta atrás de ciento veintiocho días, con un primer difícil obstáculo el lunes siguiente: la comida con los directivos.

Una palabra.

Necesitaba una sola palabra para pronunciarla al principio de esa comida, justo cuando los contrincantes acabasen de pedir el aperitivo y todavía mantuviésemos todos la supuesta cortesía.

Una palabra contundente como un puñetazo en el primer asalto, que dejase a los otros dubitativos y atontados a merced de la lluvia de golpes que seguiría a continuación. Este símil boxístico, tan inapropiado para mi voz femenina, es una concesión al estilo de mi *negro;* en su vida oficial es autor de novela policíaca.

La palabra mágica siempre me había venido en el momento más desesperado, como una revelación. Y esta vez también ocurrió.

Fue el domingo por la mañana, la víspera del encuentro con el enemigo, en la Cuesta de Moyano.

Había ido hasta las casetas en busca de material para mi participación en una mesa redonda durante la semana siguiente. El tema era la evolución de los medios de comunicación, o algo similar, no viene al caso precisarlo. Quería enfocarlo desde el punto de vista de mi propio proceso evolutivo, a partir de alguna publicación que hubiese tenido en mis manos siendo niña, como simple lectora. Alguna revista de los primeros años setenta, algún cómic... El material distribuido sobre las mesas de la Cuesta de Moyano constituía una verdadera enciclopedia sobre nuestro propio pasado, el de todos nosotros: tipografías de baja calidad, ilustraciones primarias, temas pacatos, moralina. ¿Tan ingenuos fuimos en los setenta?, pensaba de verdad sorprendida. Entonces, mientras revisaba publicaciones de la época, tropecé con una revista ilustrada con fotografías en blanco y negro. Sentí electricidad en los sensores de la intuición.

Ahí estaba la palabra mágica.

Aún no sabía cómo ni por qué, pero supe que era esa.

«Fotonovela.»

Tenía ante mí, en una pila, diecisiete números salteados de una fotonovela llamada *Sola contra el mundo*. Los compré todos. Recordaba de mi infancia y primera juventud el éxito de estas historias gráficas para adultos, como entonces se las denominaba. Incluso en la facultad, en broma, realizamos una entre los compañeros. Yo hice de malvada, lo recuerdo muy bien. En su época gozaron de éxito asombroso. *Simplemente María,* creo que se titulaba una; al actor que martirizaba en la ficción a la tal María lo apedrearon en un pueblo una vez que, tranquilamente, pasó por allí para comer cordero, también lo comentamos entre risas en la facultad. *Lucecita* era otra. Pronto fueron importadas por la tele: los famosos culebrones de sobremesa.

Puse en fila, sobre mi mesa, los diecisiete números de *Sola contra el mundo*. Los leí y los volví a leer.

Por supuesto, el argumento era demencial, ridículo.

Una joven de provincias, María Isabel, que quiere ser artista, viaja a Madrid para probar suerte en el mundo de la revista musical y las variedades. Vive y trabaja como asistenta en el chalé adosado de un matrimonio amigo del alcalde de su pueblo. Es profundamente religiosa, está muy buena y tiene gran corazón. Por el contrario, los dueños de la casa son dos pérfidos vividores, todo lo pérfidos que se podía ser en una fotonovela del franquismo terminal: él, Marco Antonio, es un supuesto guapo de pelo en pecho, medallón de oro bajo la camisa abierta hasta el esternón, pantalón de campana y americana entallada, de profesión rentista. Ella, Adriana, descocada y frívola, pasa el día entre la discoteca y la piscina, humillando a María Isabel y tentándola con propuestas de perversidad abisal, como tomar el sol en *top less*. Poco a poco, la infeliz e iletrada María Isabel se hundirá en el fango. El infame Marco Antonio se la folla tras lograr, engañándola, que dé una calada a un cigarrillo de marihuana, y la obliga además a posar para una revista erótica de tercera dirigida por su amigo Jonathan, que ha vivido en Londres y también se la folla. Enterada de todo, la terrible Adriana hace la vida aún más imposible a María Isabel, que se ve un día en la calle, deshonrada y con sus escasas pertenencias en una maleta. Con su último dinero alquila una habitación en un hostal barato del centro. Desesperada, se arrodilla y reza, ignorando que en una discoteca cercana Marco Antonio y Jonathan toman una copa y, entre risas, planean nuevas maldades contra ella. María Isabel, en fin, «cae en las garras de la prostitución» por culpa de los villanos, que además se ríen de ella y la vejan todo el tiempo con alocadas ocurrencias, y solo encuentra el camino de la salvación cuando conoce a José Ignacio, un informático de buena familia que nada sospecha de su doble vida y quiere casarse con ella. Cuando se anuncia la boda, vuelve a aparecer en escena Adriana para chantajear a María Isabel, y así sucesivamente.

Pasé la noche dándole vueltas. Por la mañana me sentía segura, lúcida.

La temeridad siempre ha sido una de mis virtudes.

Fui a la comida del lunes con todo el plan preparado, lo que no impidió que comenzara con el directo a la mandíbula mientras servían el aperitivo.

Una palabra.

«Fotonovela.»

Lo que dije luego, y por qué convencí a los directivos, viene al caso. No por nada se llama este libro *Televisión y sangre*.

Las causas del éxito de las viejas fotonovelas me resultaron fascinantes, y logré que se lo resultaran también a los directivos. No hay que olvidar que ellos no saben nada de la mecánica de este trabajo, son advenedizos permanentes que solo saben mostrarse irascibles para ocultar su ignorancia, y viven siempre con un pie sobre sus fabulosos sueldos y el otro sobre el pánico a perderlos. Pero no les des un folio en blanco. Les propuse, ni más ni menos, acometer una fotonovela del pasado contada con criterios de hoy, y para público de hoy. ¿Objetivo, aunque al principio estuviese camuflado? Demostrar que seguimos siendo tan primarios e imbéciles como hace treinta años.

El género elegido sería la ficción falsa, que casi quince años atrás, en sus albores, ya había probado su capacidad para engañar a la audiencia con propuestas minoritarias de culto, como *La seducción del caos* o *Páginas ocultas de la historia*. Además, y sobre todo, llegaríamos al extremo más radical imaginable –dentro de la legalidad– de sexo, violencia y morbo, de ninguna manera contemplados en los casos antes citados.

El programa se llamaría *Sola contra el mundo,* igual que la fotonovela de los setenta, y todas las peripecias que en él iban a acontecer se presentarían como una historia real. Una falsa historia real.

Por mi lado, me la jugaría poniendo sobre la mesa mi popularidad y prestigio para atraer a los espectadores hasta el episodio piloto. La promoción del programa, los días previos al estreno, sería también rompedora y arriesgada. Una imagen en negro, solo eso, más mi voz invitando a no perderse la cita:

«No deje de ver *Sola contra el mundo,* el nuevo y transgresor programa de Amparo Sanz Valles. La televisión del futuro llega por fin a casa».

Mi provocación, o mi propuesta televisiva de vanguardia, como tenía previsto defenderla apenas empezasen a atacarme, consistía en capturar a la audiencia con la tele basura más excesiva, buscando a propósito las críticas más encarnizadas y furibundas: asociaciones de mujeres, asociaciones de hombres, asociaciones de gays, asociaciones de inmigrantes, asociaciones de derechos infantiles, asociaciones de asociaciones... Cuantas más, mejor. A ser posible, todas.

Críticas que irían dirigidas contra mí, cabeza visible aunque podría decirse que también oculta del programa: en las primeras emisiones, mi comparecencia al principio y al final de cada capítulo serviría únicamente para acompañar al espectador. Se trataba de que todo el mundo se preguntase qué hacía yo, precisamente yo, con mi fama y mi prestigio, limitándome al convencional: «Buenas noches, en el capítulo de hoy...».

Cuando gracias a los sucios contenidos todo fuese ya carne de escándalo, pasaríamos a la segunda fase: analizar sociológicamente el éxito de *Sola contra el mundo,* demostrar que había sido capaz de convertir la pantalla en un espejo que nos devolvía reflejados como éramos cuarenta años atrás. Como seguimos siendo. Un debate semanal tras cada episodio, con la presencia de expertos y famosos, y también de actores haciéndose pasar por distintos personajes ficticios que serían presentados como reales: otros expertos, otros famosos... Tele-basura y contra-tele-basura en el mismo programa, por el mismo precio. *Sola contra el mundo* se convertiría así en un chequeo a la sociedad española que enfilaba el umbral de la segunda década del siglo veintiuno.

Pieza clave de mi osadía –que sería revelada en la segunda fase del proyecto, la de la redención sociológica– era la repetición argumental exacta de la fotonovela *Sola contra el mundo,* aunque adecuando las peripecias y personajes a nuestro mundo actual.

María Isabel sería, en vez de María Isabel, una dulce ecuatoriana a la que todo el mundo llama Quitita en recuerdo de Quito, la capital de su país. Es decir, la chica de pueblo de los primeros setenta sería la latinoamericana inmigrante de cuatro décadas después.

Y en vez de la España del franquismo, nuestro escenario sería otra España, la de 2011 cercana a sus cuarenta años de democracia, donde la extrema derecha ganaba adeptos en las encuestas y también en las elecciones. En las municipales de mayo de 2011, mientras yo me hallaba ya en la fase de elaboración de los guiones, todos nos habíamos sorprendido y preocupado por los resultados de España Nuestra, que a pesar de sus escasos dos años de existencia estuvo a punto de conseguir la alcaldía de tres capitales. Su mensaje básico, y el que le había dado el triunfo, era la xenofobia radical a cara descubierta. Por supuesto, decidí agregar este componente a mi idea; incluso dándole cierto protagonismo.

Marco Antonio sería Paco Muñoz, un yupi nacido en 1970, en la puerta por tanto de la cuarentena, con todas las características de estos personajes, cuyas crisis existenciales están resultando tan interesantes de analizar en estos años. Chavales que entraron en la adolescencia cuando Felipe González ganó sus primeras elecciones, veintinueve años atrás. Chavales de buena familia que crecieron teniéndolo todo, y que de todo se habían aburrido antes de cumplir los treinta. Chavales convertidos en hombres adultos, ricos, guapos, simpáticos, mundanos y hartos de sí mismos.

Jonathan se desdoblaría en dos: Nacho Muñoz y Carlos Muñoz, «Charli», conocidos entre su círculo de amistades como *Los muñoces* por su apellido casualmente común.

En cuanto a Adriana, la suprimí. No necesitaba otra mujer fuerte y agresiva en el proyecto.

Yo era más que suficiente. La verdadera estrella del gran tinglado.

Estrenamos el día previsto de septiembre de 2011, quince días después del décimo aniversario del 11-S; lo suficientemente lejos de él para que las conmemoraciones y programas especiales no nos restaran una audiencia que, por otro lado, estaba aburrida de ver caer tantas veces, en incontables repeticiones, las *Torres Gemelas,* y demandaba dramas nuevos.

Por entonces, Joan Martín tenía doce años. Faltaban pocas semanas para que su padre recibiera una oferta de trabajo en Madrid, que supondría una apreciable mejora en la calidad de vida futura de la familia.

Aceptaron, y Joan Martín emigró a la capital con su familia. Siempre me he preguntado si no tenía él mismo algo de Quitita o de María Isabel.

Todo esto era lo previsto sobre el papel. Todo esto iba a ser *Sola contra el mundo*.

El primer día de emisión, el programa se iniciaba con un primer plano vagamente misterioso: mi rostro en penumbra, mi voz grave... Comenzaba a desplazarme por un estudio de televisión vacío, mientras daba pistas ambiguas sobre lo que sería el programa que estaba naciendo.

Nuestras cámaras, mentí, llevaban meses tras una organización dedicada a ofrecer a quien pudiera permitirse pagarla una peculiar versión sexual, por supuesto ilegal y clandestina, de aquellos programas que algunos años atrás habían alcanzado el éxito encerrando a una serie de personajes en una casa-plató, donde sus vidas cotidianas era observadas por el ojo implacable de la televisión en directo.

Se trataba en realidad de una sofisticada y muy cara oferta de prostitución de lujo, ideal para largos fines de semana, puentes o períodos vacacionales completos, a gusto del usuario y de las posibilidades de su cuenta corriente. El servicio, en realidad inexistente, recibía el nombre de El Establo, e incluía la instalación, en el jardín u otro espacio adecuadamente amplio de la vivienda del cliente, de una casa prefabricada y hermética, dotada de un circuito cerrado de televisión monitorizado en el exterior. Dentro, convivían encerrados bajo llave un grupo de hombres y mujeres dedicados a la práctica del sexo en todas sus formas para disfrute de los voyeurs, que imponían las reglas a su capricho, sin límites de ningún tipo. Si en algún momento se transgredía la ley, nadie iba a denunciarlo. Parte del encanto residía precisamente en la impunidad de mantener cautivos a un puñado de animales sexuales sin derecho alguno, ni otra opción que la obediencia ciega.

Dediqué parte del primer capítulo a mostrar El Establo sin mostrarlo: imágenes de la casa-cárcel de baja calidad, nocturnas, con la cámara temblorosa porque supuestamente había grabado de forma clandestina; entrevistas a un hombre y a una mujer, de rostros difuminados mediante digitalización, que confesaban su participación como «animales» a cambio de dinero; un contrato, también falso, de prestación de servicios para una finca de Córdoba, firmado en agosto de 2009, que incluía suministro técnico y humano; en este caso concreto, cuatro hombres y cuatro mujeres.

El morbo humano es poco exigente. Nadie que se disponga a ver una película pornográfica pide que en los prolegómenos del coito los actores reciten a Shakespeare, ni resulten verosímiles las situaciones. Basta el sexo. Sobra el sexo.

Durante la emisión de nuestro piloto ningún espectador se planteó dudar de lo que contábamos; tampoco, todavía, protestar o escandalizarse.

Se limitaron a mirar, esperando ver más, un poco más. Y aquella noche, muchos de los que al día siguiente condenaron en la oficina o en sus casas la crudeza de la sombría historia, dejaron volar la imaginación y se asomaron, tal vez asustados de sí mismos, a la tentación de sentirse dueños por un rato de aquel apetecible establo humano.

El episodio piloto, una vez capturada la atención de los espectadores gracias al Establo, que llenó los primeros treinta minutos de programa, dedicó su segunda parte a presentarnos a los que serían nuestros protagonistas, Quitita y Paco Muñoz.

Mostramos imágenes de la supuesta vida cotidiana real de ambos. En el caso de Paco, ilustraban la actitud arrogante de un hombre tan mundano y atractivo por fuera como vacío y estúpido por dentro: «un machista cretino en estado puro», había subrayado yo en las notas que pasé al realizador a la hora de preparar el complicado casting. Todos los protagonistas eran actores, aunque debiera parecer justo lo contrario. El docudrama, la supuesta realidad, era esencial en el juego.

Enfrente, en sucesivos flashback dramatizados, veíamos a Quitita llegar a Barajas, instalarse en casa de una prima, iniciar gestiones para obtener sus papeles, hacer largas colas, buscar trabajo, santiguarse arrodillada en cualquier iglesia... Hasta llegar a una palabra; otra palabra única con la que cerramos aquel primer programa.

Continuará...

¿Cabía alguna mejor?

«La televisión es el arma más peligrosa del futuro», solíamos decir al comienzo del siglo veintiuno. Hoy la frase resulta obsoleta.

«La televisión es el arma más peligrosa del presente».

Puede convertir en gran historia cualquier nimiedad, la más imbécil que se nos ocurra. Y luego, hacerla trascendente.

Tres cocodrilos albinos corriendo por la Gran Vía de Madrid.

Verdad incuestionable, si lo dice un busto parlante en la tele. Evidencia, si el busto parlante lo ilustra con imágenes medianamente creíbles; y hoy en día puede hacerse que todas lo sean. Los espectadores ven lo que queremos que vean y creen en lo que queremos que crean. Y nosotros queremos que crean aquello que quienes nos pagan quieren hacerles creer.

Se trata de Poder. El Dinero, a estas alturas, solo le interesa a quien no lo tiene.

Quitita iba a misa. Quitita era virgen. Quitita era buena, la vemos en sucesivas entregas ahorrar dinero y mandárselo a su mamá. Quitita estaba buena, con su largo pelo liso negro y su piel de color caramelo.

Quitita, un día, entraba a trabajar como asistenta en casa de Paco Muñoz.

Aún nadie imaginaba, ante el televisor, cómo ambos personajes iban a relacionarse con El Establo. Pero todo el mundo sabía que lo harían antes o después, y eso mantuvo vivo el morbo.

Los muñoces, hacia la mitad del segundo programa, celebran una concurrida fiesta nocturna primaveral en casa de Paco.

En paralelo, Quitita se levanta en su habitación a las seis de la mañana, reza sus oraciones, se arregla y sale a la calle.

La fiesta transcurre sin altibajos: alcohol, drogas, algo de sexo, música alta, invitados que se van marchando, luz del amanecer que se cuela por las ventanas...

Quitita viaja en autobús urbano primero, luego en Metro. Entra en casa de Paco por la puerta de servicio, se cambia y, dispuesta a cumplir con su trabajo, accede al gran salón repleto de restos de la fiesta, ya concluida. De todos los invitados, solo quedan, diseminados copa en mano sobre los sofás del fondo, junto al ventanal, los tres *muñoces*.

Pronto convierten a Quitita en centro de la conversación, que deriva de inmediato hacia la obscenidad más denigrante y machista. Cruzan una apuesta sobre ella, y la ponen en práctica.

¿En qué consiste?

Simple: los otros dos *muñoces* también la contratarán como asistenta y, cuando trabaje regularmente para los tres, cada uno de ellos intentará convertir a Quitita en objeto sexual, un juego en el que puntuarán la celeridad en conseguirlo y la magnitud de la sumisión obtenida. Cuanta más humillación y más imaginativa, mejor; y ambas escalas deberán ser documentadas por cada uno de los jugadores con pruebas videográficas, fotográficas, o similar.

¿Qué grado de vejación estará dispuesta a soportar la inmigrante para no perder su puesto de trabajo?

¿Es posible, en la europea y democrática España del siglo xxi, cometer actos infames que repugnen a la moral? ¿Y hacerlo a la luz del día, mofándose de la víctima? ¿Y quedar impune?

Todo esto se preguntan los tres amigos, chocando ruidosamente sus copas.

Quitita termina de recoger y se dispone a pasar el aspirador.

Esa mañana, saldrá feliz de la casa de Paco Muñoz. Los dos amigos del señor la han contratado, impresionados por su buen hacer laboral. Podrá mandar más dinero a casa, piensa ilusionada cuando entra al Metro.

Actos infames que repugnen a la moral.

Perpetrarlos a la luz del día.

Mofándose de la víctima.

Tras mofarse, ir más allá; un poco más allá.

Y por último, quedar impune.

¿Se puede hacer?

Continuará...

En la segunda mitad de la década que acababa de concluir, años 2005 a 2010, el terrible fenómeno social llamado violencia de género se revolvió como una fiera salvaje, defendiéndose a zarpazos de los ataques planificados y ejecutados desde la sociedad y el gobierno contra ella. Costaba entender cómo, a pesar de los endurecimientos de las penas y del creciente rechazo social que aislaba a los maltratadores y los señalaba como a monstruos, seguían proliferando las muertes de mujeres a manos de sus compañeros o ex compañeros; y de formas cada vez más brutales, como si se hubiera establecido alguna clase de concurso clandestino entre los agresores. En los informativos de la tele, la imagen de distintos hombres anónimos, con los labios apretados y la mirada furiosa clavada en ninguna parte, saliendo esposados del portal de su casa con un policía a cada lado, se hizo tan familiar como la del meteorólogo anunciando anticiclones o lluvias suaves para el fin de semana.

Y es que, ¿se dejó de beber alcohol durante la Ley Seca?, se pregunta uno de los *muñoces* cuando los tres amigos valoran los riesgos de su juego.

A ellos, en el fondo, les conviene esta presión del entorno contra la violencia de género. Jugar a ser maltratadores añade tensión y suspense a su apuesta: campañas mediáticas permanentes; abogadas expeditivas e implacables, cada vez más dispuestas a implicarse hasta el fondo en la defensa de las víctimas; concienciación policial lenta y llena de prejuicios, pero también innegablemente progresiva... Este panorama contra el maltrato es un aliciente para nuestros tres villanos. Alguno de ellos hace observar a los otros que si Quitita los denunciase podrían tener problemas legales, incluso ser condenados y encarcelados.

En este punto del tercer episodio –las audiencias creciendo a nuestro favor, aunque no todavía de la forma espectacular que la cadena y yo habríamos deseado–, las protestas ciudadanas de todo tipo se hicieron ya notables, aunque no suficientes. Hay que tener en cuenta que yo, como conductora y avalista de *Sola contra el mundo,* no había emitido todavía un solo juicio condenatorio sobre la apuesta de *Los muñoces*. Al contrario, puse toda mi inteligencia y la de mis guionistas en salpicar la trama de diálogos indignantes y matices ofensivos, de machismo premeditadamente sonrojante, lo que sumado al hecho de que *Sola contra el mundo* conciliaba ficción con docudrama, además de las entrevistas falsas a supuestos personajes reales, desconcertaba al espectador; pero no hasta el punto de mitigar su fascinación por la morbosa historia que antes o después, esto lo daba por supuesto todo el mundo, ofrecería retorcidos componentes de sexo. Es decir, seguían mirando aunque no entendieran nada; aun cuando se irritasen. Ese, precisamente, era mi objetivo.

Al comienzo del cuarto programa la infeliz Quitita, bien por las simpatías que despertaba entre las féminas de todo rango y edad, genética y culturalmente solidarias con su persona ante los horrores que le aguardaban, bien por el morbo y la atracción no confesada que los espectadores masculinos sentían hacia ella, había alcanzado gran popularidad. Una tarde, en un bar, oí a tres hombretones bromear sobre lo que ellos, si fueran *Los muñoces,* harían a mi pequeña ecuatoriana. Supe que me hallaba en el camino del éxito. Había conseguido el sueño de todo profesional de la televisión: atraer hacia la pantalla, con interés idéntico aunque causado por motivos distintos, las miradas de las beatas y de los asiduos de puticlub de carretera.

Las unos y los otros –los bajos instintos de las unas y de los otros, diríamos más bien– habían concluido por su cuenta, pues yo nunca hice promesas al respecto, que habría sexo, y lo habría pronto. Se trataba de un espectáculo más o menos habitual desde el verano de 2008, cuando proliferaron los *reality shows* con coitos reales en directo, entre desconocidos primero y entre famosillos después. Todo presagiaba que con Quitita habría de pasar lo mismo, aunque con un matiz distinto, el de la simpatía o incluso el cariño por parte del público que se disponía a observar la acción. Nadie quiere a los actores de una película porno, que es lo que al fin y al cabo, con variantes, eran los protagonistas de los últimos *reality shows*. Pero la audiencia había acogido amorosamente a mi ecuatoriana, lo demostraban las encuestas y la fidelidad del público.

Todos se preparaban.

Los onanistas para masturbarse, las santurronas para santiguarse, las abogadas para demandarme, los periodistas comprometidos para desollar a la cadena en sus columnas de opinión, los políticos de la oposición para arremeter contra los políticos en el gobierno, los inmigrantes para defenderse en manifestaciones públicas, los papás y las mamás para escandalizarse, tras mandar a sus niños a la cama. Pero sobre todo, unos y otros se preparaban para ver el siguiente programa, el del morbo presentido.

Sin embargo, sorprendí a los espectadores de la última forma que podrían haber esperado: retornando a los clásicos.

No hubo sexo explícito. Solo una variante radical que me atrevo a bautizar «pornografía invisible», uno de los inventos más íntimamente satisfactorios de toda mi carrera profesional.

El correspondiente episodio estuvo libremente basado en el *Decamerón* de Boccacio. Los espectadores nocturnos, habituados a la carne desnuda y los gemidos sexuales, a la visión fugaz de genitales masculinos y femeninos, se enfrentaron a una forma nueva, o al menos olvidada, de provocación sexual: la palabra.

La mayor parte del episodio transcurría en el restaurante exclusivo de las afueras de Madrid donde se habían reunido *Los muñoces*. En un saloncito privado al aire libre, ambientado por el rumor de las fuentes cercanas, cada uno de los amigos relataba a los otros dos sus logros en el acoso y derribo de Quitita. Era el retorno de la obscenidad oral, de la pornografía contada. Y también, un reto de mi inteligencia a los límites de la televisión de la época, enjaulada por leyes ridículas que, por ejemplo, censuraban con toda hipocresía las palabras malsonantes, cubriéndolas pudorosamente con un pitido, pero no dejaban de emitir las mentiras voceadas por los líderes políticos en sus mítines electorales. A mí misma me censuraron con esta técnica en una ocasión, durante la repetición a media tarde de un debate nocturno en el que había defendido la necesidad de empezar a llamar a las cosas por su nombre, y propuse bautizar la denominada «telebasura» con el término «puta mierda», que repetí varias veces. Fue curioso, también humillante, verme al día siguiente. Exponía mi razonamiento con interrupciones del correspondiente pitido puritano cada vez que decía «puta mierda», lo que redujo mi alegato a un sinsentido de palabras entrecortadas.

Pero mis *muñoces* no, mis *muñoces* comenzaron a contar al público atrocidades de perversa moral mediante palabras inocentes, que cuidadosamente había redactado bajo seudónimo alguno de esos escritores, en paro hoy, que tuvo gran renombre en el pasado cercano.

En los prolegómenos del capítulo, cada uno de los amigos explicaba cuál había sido la reacción de Quitita ante la proposición idéntica que los tres, por separado pero de común acuerdo previo, le habían hecho al mes justo de haberla contratado, justo cuando la infeliz se hallaba ya ganando un sueldo decente que casi en su totalidad enviaba a su mamá y hermanos, allá en Ecuador.

Haberle ofrecido más dinero a cambio de sus servicios sexuales habría sido inducirla a la prostitución, además de una vulgaridad de guion y un error de concepto que volvería a la audiencia en mi contra. Quitita, como en las fotonovelas clásicas, aceptó la imposición de entregarse a sus señores obligada por las circunstancias, a cambio solo de no perder el sueldo, y únicamente como complemento de este. Este matiz era parte fundamental de la humillación, del escándalo que yo buscaba. Nada de adornar la triple violación continuada con escenas de amor ni palabras cariñosas. Solo sexo, sexo como parte de las tareas del servicio doméstico y sexo cuya práctica ella, además, debía mantener en secreto. Quitita se comprometió con cada uno de sus tres violadores a no contar nada a los otros dos. Por supuesto, tampoco confesó a los amigos o familiares de su entorno de inmigrantes a costa de qué mantenía esos puestos de trabajo que tanto bienestar llevaban a su familia en Ecuador.

Como malvados de opereta –lo que de hecho eran–, *Los muñoces* contaban entre risas, pero sin recurrir a una sola palabra malsonante, las prácticas progresivamente vejatorias a las que sometían a la infeliz. Uno de ellos, para cerrar el capítulo, hacía referencia a un juego, al parecer muy divertido, del que había oído hablar. Se llamaba El Establo, y proponía obligar a Quitita a participar en él.

Entonces aparecía el rótulo correspondiente.

Continuará.

Las respuestas airadas y la indignación desde todos los estamentos sociales no llegaron de inmediato, como normalmente solía ocurrir. Consideré este retraso un gran éxito. Quería decir que se había logrado la estupefacción de la audiencia. Los espectadores de televisión, acostumbrados a la simpleza del exabrupto o del insulto primitivo y desnudo en este tipo de programas, tardaron algún tiempo en asimilar las atrocidades morales contenidas en los exquisitos diálogos, en comprenderlas en su verdadera dimensión, inédita en la tele.

Amparándonos en su supuesta actualidad, volvimos a emitir el episodio al día siguiente, fuera de su lugar habitual de programación, y lo envolvimos en un debate previo y otro posterior, en los que dimos cabida a feministas, inmigrantes, algún hombre de ley, un sacerdote y un representante de esa extrema derecha cuyo reciente ascenso gravitaba sobre las próximas elecciones generales, llenándonos de preocupación a muchos.

En televisión, nada como darle una mano de barniz cultural a la bazofia. De inmediato adquiere brillo de prestigio; la pornografía barata obtiene rango de evento sociológico.

Los participantes en aquel debate, al enzarzarse inevitablemente y llegar casi a las manos, convirtieron a *Sola contra el mundo* en causa política. Una de las feministas, en realidad una actriz a la que di precisas instrucciones sobre su papel en el coloquio, manipuló hábilmente la irascibilidad del representante de España Nuestra, que entró al trapo y cayó en la trampa de llamar «prostituta» a Quitita, definición que el sacerdote, si bien mostrándose comprensivo hacia las circunstancias de la estelar ecuatoriana, avaló. Las dos inmigrantes invitadas –una de ellas era también actriz– se levantaron indignadas y, como nadie retiró lo dicho, abandonaron el plató. Las feministas presentes, en cambio, optaron por atacar de frente a los representantes del clero y de la extrema derecha. Fue un buen programa, con altísima audiencia, que concluyó cuando mi actriz gancho principal se mostró horrorizada ante la emisión siguiente, el momento en que los odiosos *muñoces* encerraran a Quitita en El Establo.

¿Qué espantos no nos veríamos obligados a conocer en ese zoológico de animales sexuales humanos?

El dieciséis de octubre de 2011 se anunció, por supuesto en *prime time,* el episodio de *Sola contra el mundo* titulado lacónicamente «El Establo».

Las demás cadenas, acobardadas, contraprogramaron contra sí mismas, en retirada, sabiendo que solo podían perder ante Quitita, y rellenaron con saldos aquella franja horaria que, brindando para celebrarlo, nos atrevimos a llamar «nuestra». En un hecho sin precedentes, acaparamos toda la publicidad contratada para esa noche.

Estábamos listos para arrasar.

Pero fue entonces cuando alguien depositó una carta anónima a mi nombre en la caseta de recepción de la cadena.

Y todo saltó por los aires.

El director general, alarmado al conocer su contenido, convocó una reunión de urgencia con los altos directivos. Sopesamos si era prudente llamar a la policía. Solo yo, la única mujer entre ocho hombres, voté por no hacerlo, por seguir adelante.

Nada de defenderse.

Contraatacar.

Me hicieron caso, les convencí.

Mi maldito talento.

Y emitimos un programa adecuado a las circunstancias forzadas por el anónimo.

A la vista de los sucesos posteriores, es evidente que Joan Martín, que entonces tenía doce años, estaba viendo la televisión aquel dieciséis de octubre.

No sé por qué me limito a barruntarlo, cuando se lo podría preguntar directamente.

Preguntártelo.

Por que estás ahí, ¿verdad, Joan?

Leyendo en este instante mi libro, esta misma página, esta línea... Con una sonrisa de superioridad en los labios, igual que te imagino ante el televisor, aquel día de octubre de 2011.

La careta de entrada de *Sola contra el mundo* fue la habitual, pero apenas concluyó comparecí frente a la cámara para explicar las razones que nos habían llevado a suspender la emisión del capítulo titulado El Establo.

El anónimo que había recibido venía burdamente firmado por «Los Muñoces Auténticos», y aparte de una serie de insultos de marcado acento sexual dirigidos contra mi persona, arremetía contra la cadena represiva y censora, que en vez de mostrarnos el sexo de *Los muñoces* con Quitita, se limitaba a parlotear y parlotear. «Los Muñoces Auténticos», para subsanarlo, habían decidido realizar su propio *Sola contra el mundo,* y en esos momentos tenían secuestrada a una inmigrante ilegal sudamericana, sometida a todo tipo de vejaciones sexuales que grababan en vídeo y archivaban para su posterior difusión en alguna tele local clandestina de ideología ultraderechista. «España para los españoles», aseguraban haber tatuado a cuchillo en la espalda de la desgraciada, y pedían que se difundiese a través de nuestro espacio horario su mensaje de violencia, sexo y xenofobia.

Mi osada respuesta a «Los Muñoces Auténticos» fue la que a continuación se pudo ver en todos los televisores del país: un fragmento de la violación de la inmigrante raptada, cuya grabación en vídeo habían adjuntado en el anónimo para ratificar la veracidad de sus palabras.

Las imágenes, advertí a la audiencia, eran repugnantes y brutales, pero su emisión suponía una oportunidad única de poner a todos y cada uno de los telespectadores frente a una cuestión moral insoslayable:

¿Cuál es mi postura ante el racismo fascista?

Emitimos catorce minutos de la violación, grabada con cámara doméstica digital. La baja calidad de la imagen nos permitió no rozar ninguna frontera prohibida por códigos morales o censuras encubiertas: en realidad, solo se veían formas que podían ser cuerpos, envueltas en apasionados golpes de voz, gemidos y súplicas, ocasionales insultos. Eran las antípodas de la nitidez de los canales pornográficos de pago, pero precisamente ese contraste otorgaba una inusitada realidad a la emisión.

Al día siguiente, los índices de audiencia certificarían que habíamos reventado récords históricos, por encima de la primera misa oficiada por Benedicto XVI tras el atentado que casi le cuesta la vida y casi a la par que la emotiva abdicación de Felipe VI: hitos rotos por mi talento. Pero estos hechos, se suponía, eran trascendentes para la política, cosa que no ocurría con el vídeo sexual de un grupo de violadores. Ni en mis mejores sueños había imaginado que podía captar la atención de esta manera terrible, todo hay que decirlo.

Por supuesto, en el acto me llamaron de Interior. El ministro estaba escandalizado y furioso, asombrado de que no hubiéramos informado a la policía.

Mi respuesta, reconozco que arrogante y cínica, obviamente interesada y demagógica, fue:

«Ya informamos a los ciudadanos, que son a quienes nosotros tenemos la obligación de informar».

Entre los miles de mensajes recibidos en adhesión y solidaridad con la secuestrada, llegaron además noticias de cuatro nuevos grupúsculos de «Muñoces Auténticos» procedentes de distintos lugares de España, cada uno de ellos con su correspondiente filmación sexual de las aberraciones cometidas contra mujeres desvalidas cuya filiación, al carecer de papeles, era imposible determinar.

Atónita ante el teclado de mi ordenador, mientras pensaba qué palabras debía decir en el programa de emergencia que se había decidido emitir esa noche, y ante los periodistas en la rueda de prensa previa, recuerdo que tecleé:

«He inventado una forma nueva de delito».

Confusa y entristecida, olvidé borrar esas palabras de la pantalla, y uno de los periodistas asistentes la utilizó para el titular de su artículo, al día siguiente.

Amparo Sanz Valles se vio de pronto arrollada por una marea distinta a la que siempre había soñado.

Desde muchos foros me insultaron, me crucificaron virtualmente. Para otros, sin embargo, me convertí en paladín de la antixenofobia y de la lucha contra el maltrato, en valedora de la libertad de prensa. Fueron estos segundos los que, a pesar de las múltiples acciones legales iniciadas contra la cadena y contra mí, me dieron la fuerza para seguir adelante, para despreciar incluso las amenazas de muerte por parte de grupos neonazis.

Y es así como *Sola contra el mundo* sufrió una de las metamorfosis más apasionantes de la historia de la televisión mundial. También, todo hay que decirlo, una de las más rentables. De fotonovela semanal a líder de audiencia diario, gracias a la denuncia social cargada de agresividad.

«Los Muñoces Auténticos» crecieron y se multiplicaron durante nueve días consecutivos en los que se llegó a crear una auténtica alarma social. En la mayoría de los casos, se trataba de bromistas siniestros. Pero los hechos vinieron en tres ocasiones más avalados por filmaciones de diversa índole sexual, y apuntaron a la aparición de una suerte de Club Nacional de Muñoces: ricos de entre treinta y cuarenta años aburridos que habían descubierto en la «caza sexual» del inmigrante sin papeles un inaudito deporte de relativo y delicado riesgo: atentar contra las personas, agredirlas, es un delito. Pero ¿y si esas personas no existen oficialmente? ¿Y si esas personas tienen tanto miedo a ser expulsadas del país que no denunciarán las vejaciones a que son sometidas?

Los responsables de *Sola contra el mundo* no tuvimos otro remedio que propiciar nuestra propia caída. Lo hicimos por pura responsabilidad social. Paradójica e insólita variante del éxito, que adoptamos ante las presiones externas, y también por nuestro propio miedo a la bestia que habíamos creado.

Once «Muñoces Auténticos» dieron señales de vida en los días siguientes, once secuestros de inmigrantes fueron documentados con sus correspondientes grabaciones en vídeo, que llegaban a nuestra cadena con puntualidad semanal, aunque por supuesto de inmediato decidimos no volver a emitir ninguna imagen escabrosa. La policía, a estas alturas informada ya con puntualidad de cada nuevo hecho, las asociaba con grupillos filofascistas y xenófobos, pero no se descartaron autorías puntuales de otro tipo: sádicos, asesinos en serie...

Como madre de la criatura, diseñé el que habría de ser su fin: matar el programa cuando había logrado ser el de mayor éxito de la historia de la televisión en nuestro país. El arma fue una enorme mentira en directo, en colaboración con el ministro del Interior y el propio presidente del gobierno, que exigió personalmente terminar en el acto con el intolerable asunto.

El correspondiente día de emisión comparecí ante las cámaras con gesto compungido, muchos de vosotros lo recordaréis, para anunciar que *Sola contra el mundo* se retiraba de la parrilla en pleno éxito por razones éticas. Nunca un programa de televisión había desembocado en delitos con componentes racistas y sexuales. Asumí toda la culpa, o la principal parte de la culpa, y prometí en directo, ante los millones de espectadores que para desesperación de las otras cadenas habían elegido mi confesión como opción televisiva de la noche, dedicar todos mis esfuerzos y conocimientos a combatir la violencia contra los desvalidos, y sobre todo, las desvalidas de cualquier clase. Sin duda, Joan Martín vio aquella declaración, sentado en el tresillo de casa con sus padres. ¿Verdad, Joan, que fue así?

Ese fue el final de *Sola contra el mundo,* y también el comienzo de una nueva Amparo Sanz Valles, que se distinguió desde entonces por sus ataques permanentes e inmisericordes contra todo lo que oliese a violencia de género. Me convertí en una gran estrella del compromiso social.

Subí, subí, subí...

Sola contra el mundo se perdió en el olvido. Todos dimos gracias de que los demás clubes de «Muñoces Auténticos» se evaporaran por sí mismos. La policía supuso que se habían asustado del peligroso juguete que tenían entre manos, y lo cierto es que lo principal, su desaparición, había tenido lugar.

Algunas veces, sin embargo, no pude evitar pensar que aquellas mujeres habían sufrido en silencio el acoso y la vejación anónima, y probablemente seguían después, ahora, trabajando sumisamente para sus empleadores-violadores, sin el valor o el apoyo suficientes para denunciarlos. Mi participación en todo ello agitaba mi conciencia, pero también me daba nuevas fuerzas para luchar.

Una tarde de invierno de un par de años después tuve una extraña premonición.

Me encontraba esperando el tren hacia Madrid en la estación de Albacete, a donde había acudido para presidir una mesa redonda. Lo habitual era viajar en coche o avión, y no recuerdo qué circunstancia había determinado lo contrario en este caso concreto. La estación de la ciudad se hallaba casi vacía, lo que despertó en mí una melancolía grata. Viajaba sola, y no había nadie más en el andén; solo el jefe de estación, a unos metros de mí.

En una de las columnas que sostenían el techado podían verse varias pegatinas con distintos dibujos y sentencias escritas a mano; parecía un juego de chavales, cruces de mensajes amorosos, simples grafittis...

«Quitita puta», decía escuetamente uno de ellos. Y debajo, la fecha de mi comparecencia ante las cámaras para anunciar el fin brusco de emisión de *Sola contra el mundo*.

Me sentí incómoda, vigilada por ojos anónimos e invisibles. Raspé como pude el papelito. Me partí una uña, pero insistí con nueva furia, obcecada de repente en eliminar ese vestigio de Quitita.

Hube de subirme al tren sin haberlo conseguido, y cuando el convoy partió pegué la cara a la ventanilla, como una amante desesperada, para ver alejarse el trozo de papel pegado a la columna.

Ahora, hoy, me atrevo a pensar que fue un presagio sobre el futuro sin futuro que me estaba reservado, por culpa de esta enfermedad maldita que me va a matar.

También creo que era un aviso sobre mis cinco cadáveres, que iban a aparecer apenas tres meses después, el 6 de enero de 2014.

Supongo, Joan, que tú tampoco has podido olvidar la fecha.

Esa mañana, los informativos dieron una noticia truculenta y trágica a la que, en principio, no di mayor importancia. Dramas como este eran, son y serán con asiduidad creciente el pan nuestro de cada día televisivo. Cinco personas pertenecientes a una familia de inmigrantes legales, que vivían junto a unos restos de furgoneta en un extrarradio de la ciudad, habían muerto calcinadas por un incendio fortuito en su improvisado dormitorio. Sucesos, uno sobre otro, ni más ni menos tristes que la bajada de la Bolsa o el constante goteo de marines norteamericanos muertos en Damasco. No por ello dejé de cepillarme los dientes, de apresurarme hacia el aeropuerto para no perder mi vuelo a Barcelona, donde esa noche asistía a la concesión en el hotel Ritz del premio Nadal.

Por la tarde, antes de cambiarme para la fiesta, consulté mi e-mail. Y allí, entre los mensajes acumulados, estaba el correo electrónico enviado desde la cuenta *muñozautentico@hotmail.com*.

Tu correo electrónico, Joan Martín; con su texto inicialmente inofensivo:

Eres muy lista, Amparo. Pero yo te he pillado. Soy más listo que tú.

Y firmabas «El Muñoz Verdaderamente Auténtico». Ese nombre me inquietó, aunque no tanto como el carácter inocuo, o en apariencia inocuo, del texto. Estoy acostumbrada a recibir correos electrónicos obscenos, a que me ofendan en articulillos anónimos colgados en la red y a verme, sin quererlo, en las páginas de la prensa rosa. Me siento por encima de todo ello porque lo estoy; a veces, hasta me atrevo a bocetar mentalmente la cara o el perfil del payaso patético que me insulta por Internet o se hace pajas a mi costa. Pero este mensaje, tu mensaje...

Supe que tendría continuidad. «Continuará», debería haber concluido el texto. ¿No se te ocurrió, Joan? Es una buena idea, te la brindo para otra ocasión. Estoy segura de que ahora, mientras me lees, también a ti te lo parece. Porque me estás leyendo, ¿verdad? No me cuesta imaginarte corriendo a la librería apenas supiste que esta carta-confesión saldría a la venta. Sí, disfrutas con cada línea de este libro del que, de alguna manera, eres coprotagonista. «Continuará», como al finalizar cada episodio de *Sola contra el mundo*.

Te mostrabas paciente y calculadamente sádico, lo comprobé por la parsimonia con que fuiste enviando los mensajes posteriores. Pensabas que habías captado mi atención, y era verdad. Por mi parte, no me sentía amenazada. Sabía que no eras un chantajista, ni alguien que amenazase mi seguridad personal o desease hacerlo. Nada de hacerme daño. A mí no.

Tú solo asesinaste, quemándolos vivos, a los miembros de aquella familia de pobres inmigrantes mientras dormían, la mañana del seis de enero.

Lo explicabas en el siguiente e-mail.

No era nada de lo que te enorgullecieras, decías despectivo: escasa dificultad y ninguna investigación posterior. La policía, en su encuesta rutinaria, no halló el menor indicio de que aquella tragedia hubiese sido provocada. Se descartó el ajuste de cuentas entre bandas de mafias latinas, también la mano de la extrema derecha. Y aparte de esos grupos criminales específicos, ¿quién podía haber tenido interés en asesinar a una familia de desposeídos?

Lograste cometer un crimen sin asesino, un crimen no-crimen.

Y todo por mí. Por mí y para mí.

Cinco muertos. Dos de ellos niños.

Más tarde te presentabas formalmente, con nombre y apellido. Tu cinismo y la forma de expresarlo me sugirieron que estaba ante alguien altamente inteligente y peligroso que se disponía a iniciar conmigo algún juego siniestro. Joan Martín, nacido en Barcelona, etcétera, etcétera. Supuse que eran datos falsos, aunque tampoco importaba demasiado. Solo me impresionaron tu edad y tus motivos.

Desde tus primeros mensajes te imaginé como un hombre entre veintitantos años y cuarenta, rico y desocupado, inteligente y amoral, aburrido de la vida regalada que probablemente llevabas, y que no queda descartada por el simple hecho de que tu edad sea otra. Es decir, uno más de los *muñoces* de mi serie, aunque en este caso con filiación precisa. Querías, pensé, darte a conocer, satisfacer tu vanidad, llamar mi atención; incluso, tu irrupción podía ser una fórmula inaudita de ligar conmigo. Tal vez pasados ocho o diez mensajes me descubrirías que todo había sido una estratagema para invitarme a cenar, cosas más raras he visto. De ese tipo que imaginé al principio nunca llegué a tener miedo. Pero de un adolescente... Porque eras un niño. Tenías, si la información que me dabas era cierta, catorce años. Saberlo fue un choque, lo reconozco. Una sorpresa auténtica.

Eras un niño. Lo eres todavía, cuando escribo y también cuando lees.

Comprendí que tu demencia era única y desconocida, que carecía de sentido compararla con casos precedentes. En los últimos veinte años, nuestra sociedad putrefacta había alumbrado varios asesinos juveniles, perturbados de alto coeficiente intelectual y más alto desprecio aún por la vida humana. Retorcidos niños-genio que movían las fichas de los juegos de su invención matando gente porque un reto así, al implicar peligros reales, les excitaba más.

A lo largo de mi carrera profesional me topé con muchos monstruos, ocultos o no, pero casi siempre catalogables. Tú me diste miedo por imposible de clasificar. Y me diste miedo, además, porque eras un niño.

No llamé a la policía, no hablé con nadie. Era lógico que actuase así, supongo que contaste con ello. ¿Qué pruebas de tu existencia real tenía, aparte de una serie de mensajes sin remite? Perfectamente podía tratarse de una broma, a pesar de que en ellos detallases cómo habías espiado a la familia asesinada, con qué osadía te habías presentado ante ellos como «periodista colegial católico» que preparaba un artículo sobre los inmigrantes ilegales. Anulaste sus recelos pagándoles una pequeña cantidad que les contentó mucho, según dices con desprecio cruel, con desprecio despreciable: te ríes de que se mostraran agradecidos ante el puñado de billetes con el que compraste su permiso para que te dejaran entrevistarles en vídeo.

Me mandaste una copia de las cintas que vi con creciente desasosiego. Mi ático sobre Madrid, con todos los triunfos sobre tantas cosas que representaba, no se hallaba lo suficientemente alto para impedir que un espíritu perverso como el tuyo hubiera escalado hasta él.

En los vídeos se mostraban varias entrevistas inocuas, mediocres, dignas efectivamente de revista parroquial: los cabezas de familia, dos jóvenes de treinta y tantos, contaban la odisea desde su Guatemala natal, las expectativas no cumplidas al llegar a España, el deseo, a pesar de todo, de seguir en nuestro país, la solidaridad de algunos españoles y el rechazo de otros... Nada que no hubiéramos visto mil veces, de no ser por la muerte posterior que lo alteraba todo.

La muerte puede convertir en importantes a personas que no lo son, hacerlos memorables más allá de lo que sus actos en vida merecieron. Y sin embargo, aquel vídeo contenía a la vez la esencia sagrada de la vida humana, de todas y cada una de las vidas humanas, aisladamente consideradas. El plano final, que se mantenía congelado unos segundos antes de fundir a negro, mostraba a la joven madre sosteniendo en brazos a su hijo de tres años, jugando con él y sonriéndole. Y el niño respondía, el niño reía. Ahí, en la plenitud de esa risa, se detenía la imagen. Esa risa, que obviamente habías elegido con toda premeditación para cerrar el vídeo, certificaba aún más el horror de las muertes y te convertía en asesino más repugnante. Acabar así era decir que esa risa no te importaba, subrayar que a pesar de ella habías quemado vivo a ese niño y a los demás.

Como ya supondrás, no se me pasó por alto que en la entrevista con el cabeza de familia aparecían en el encuadre tus piernas y medio tronco. Pantalón vaquero y camisa verde de manga corta, un reloj de esfera negra; detalles nimios que imposibilitaban cualquier forma de identificación, pero añadían un inquietante toque de realidad: estabas ahí, existías físicamente. Eras el tipo de los pantalones vaqueros y el reloj negro. Esa era tu intención, ¿verdad? Tu pequeño guiño: que yo viera parte de ti, que sintiera tu realidad corpórea; tu, de alguna manera, proximidad.

El vídeo, lo supuse nada más verlo, iba a marcar un cambio de rumbo en tu estrategia.

Lo siguiente fue una carta con matasellos de Madrid, aunque obviamente sin remite. El hecho de que viniera manuscrita fue otra muestra de tu osadía. Apostaste que no la llevaría a la policía, y acertaste. Suponías que me sentiría cómplice, o salpicada moralmente por tu crimen.

Y también acertaste.

No puedo evitar admirar la inteligencia, aunque sea odiosa como la tuya. Te lanzo una maldición: tendrás grandes éxitos profesionales en el futuro. No estaré aquí para verlo, pero fácilmente te imagino convertido en número uno de la televisión de nuestro país, dentro de unos años; puede que director general de alguna gran cadena. Tienes el instinto y la inmisericordia necesarios para lograrlo, te lo dice quien también los tuvo.

¿Cómo pudiste adivinar mis mentiras con tal precisión?

Tu carta me asombró. Allí estaban radiografiadas, una por una, todas y cada una de mis mentiras y falsas verdades, sin olvidar una sola.

Adivinaste –o dedujiste, lo que sin duda es peor– que todos y cada uno de los requiebros argumentales de *Sola contra el mundo* estuvieron calculados al milímetro. No solo las peripecias de Quitita y Paco Muñoz, personajes a los que presentamos como reales, aunque interpretados por actores, desde el principio. También la irrupción –supuestamente inesperada– de los «Muñoces Auténticos», los pornos caseros de las violaciones a inmigrantes supuestamente ilegales e indefensas, y que en realidad eran actrices mayores de edad, las ruedas de prensa en las que yo –supuestamente abrumada, falsamente entristecida– entonaba el *mea culpa,* e incluso la interrupción del programa por presiones de las altas esferas, que jamás tuvieron lugar.

Mentiras, verdades a medias, rumores filtrados por nosotros mismos... Prácticamente, solo fue auténtica la pérdida de papeles en directo de aquel líder de la extrema derecha, que por ese desliz fue relegado por los suyos a cometidos de segunda fila. Ahí, al menos, sí cumplió la televisión un servicio social. Pero

El Establo, por ejemplo, que tanto morbo despertó y tanta audiencia nos regaló, nunca existió como producto ofertado por las agencias de prostitución de lujo, aunque me consta que tras el éxito de nuestro programa algunas podrían estar poniéndolo en marcha. Y por supuesto, yo sabía que ese vídeo supuestamente explícito del zoológico sexual humano jamás se emitiría.

Todo mentira. La televisión de nuestro tiempo, ni más ni menos. Aunque, si se me permite, elaborada con mucha más imaginación que los productos de la mayoría de mis contemporáneos.

Bien, Joan. Me has pillado, como decías en tu primer mensaje. A tus catorce años habías descubierto mi juego. Creo que si hubieses sido un adulto nunca habrías sospechado. Vosotros, los jóvenes, creáis vuestros propios códigos a partir de la cultura que os dejamos en herencia.

Estamos demasiado ocupados en venderos maravillas digitales de todo tipo para detenernos a pensar que nuestro mundo podrido inocula mierda en vuestras venas, y os hace crecer mentalmente retorcidos y deformes, igual que esos niños obesos que comenzaron a proliferar a mitad de la década pasada, hasta que los sucesos del verano de 2009 en aquella cadena de hamburguesas escandalizaron a los consumidores y obligaron a la Administración a tomar medidas en el asunto.

Pero la televisión no ha provocado ningún envenenamiento masivo aún, al menos ninguno reconocible ni demostrable, y ello nos permite seguir adelante.

Yo también te pillé a ti, Joan. Eres un hijo de puta y un canalla, un psicópata peligroso al que no creo que un reformatorio pueda curar. Estarías mejor muerto, pero estás vivo, qué le vamos a hacer. Pasa con muchos cabrones. No pienso enmendar ese hecho verdaderamente injusto porque ni me corresponde hacerlo ni, en el fondo, me importa demasiado. Es decir, no voy a salir en tu busca para matarte, tranquilo. Estoy demasiado ocupada con mi propia muerte.

Pero has de saber que cuando yo muera, todo el material que guardo sobre ti se remitirá a la policía. No actuarán, pues tú y yo sabemos que no hay pruebas de nada, pero tendrán noticia de ti, sabrán que existes. Y si los datos caen en manos de alguien con visión de futuro, serás convenientemente vigilado, Joan Martín. De nada se te puede inculpar, pero ya no camparás por tus respetos. Tú me jodes a mí, asesinando para hacer mella en mi conciencia, y yo te jodo a ti, poniéndote un policía a la espalda para el resto de tu vida. Tendrás que dedicarte a las buenas causas, querido. Las malas te las acabo de prohibir yo.

Todo esto rondaba por mi cabeza cuando, un amanecer de abril de 2014, un camionero extremeño que no sabía de mi existencia ni, casi, de la de la televisión, decidió seguir ruta en vez de dormir, a pesar de que llevaba conduciendo más tiempo del recomendado por la prudencia. Tal vez había una prima importante en juego.

El hecho es que se puso en carretera apenas surgieron las primeras luces del alba. Recorrió casi doscientos kilómetros antes de quedarse dormido unos instantes, los suficientes para invadir el carril contrario de la carretera secundaria por la que circulaba y chocar contra el coche que, despreocupadamente, venía de frente. Ni sé ni me importa qué pasó con el camionero. Pero la conductora del vehículo murió en el acto. Era mi hermana Eva, que se había desplazado a Extremadura para visitar una nueva planta de su empresa.

La muerte de Eva me mató en parte. Morí por primera vez. Y a la vez reviví, pues fui consciente de lo que estaba despilfarrando.

Todo mi mundo comenzó a resultarme absurdo, insoportable, ofensivo, odioso. Me angustió una imagen persistente, obsesiva y, probablemente, alucinada: empecé a ver envejecer a los profesionales de la tele que habían sido mis amigos y amigas. Tiempo atrás yo había vivido la euforia del éxito. Era joven, y todos los que me rodeaban también. Todo tenía algo de aquella alegría con la que mi fallecida hermana y yo, muchos años atrás, nos habíamos hecho promesas de gloria dentro de este mundo que una vez fue nuevo y ahora se me antojaba mezquino y sombrío. En aquel 1990 en que empezó la tele privada me sentía inmortal, y sentía que eran inmortales, plenos de vida imparable, todos aquellos que compartían conmigo el sueño. Y ahora, de pronto, era consciente de la proximidad del fin individual y colectivo. Nos hacíamos mayores, pronto seríamos viejos, tendríamos antes o después la edad de la jubilación, perteneceríamos al pasado, saldríamos los domingos a pasear al perro.

¿Y qué dejábamos detrás?

Nada. Absolutamente nada. Confieso aquí, confieso ahora, y no solo para ti, Joan, sino para todos mis colegas y amigos, para el público en general, que cuando recibí el premio de la Academia de Televisión correspondiente al 2013, el cuarto de mi carrera, no lloré de alegría, como pudisteis pensar todos, como de hecho pensasteis al poneros en pie para ovacionarme. Lloré de pena y de miedo. Pena por mí. Miedo por comprender qué dejaría detrás cuando me retirase: nada. Absolutamente nada.

Perdía la juventud.

Y lo que pensaba que tenía valor carecía por completo de él.

Fue entonces cuando decidí retirarme a un lugar alejado de las grandes capitales y de las grandes cadenas de televisión. Descubrí, por cierto, que de estas últimas no se puede huir. Tienen sucursales, reporteros, simples becarios, colaboradores a tiempo parcial, mercenarios de todo tipo distribuidos por el país entero.

¿Son profesionales en guardia por si se produce la noticia?

¿O nos vigilan?

A veces vengo a la pequeña cala al pie de la casa. Me siento ante el mar y escribo mis memorias, recuerdos de la vida que viví en Madrid, también las primeras sensaciones que me golpearon cuando supe que estaba enferma.

E imagino que algún día me sumergiré en este mar y partiré para siempre, ya con la conciencia tranquila por haber confesado mis crímenes morales.

En el sueño me veo desnuda, repentinamente curada, como un milagro que renueva mi alegría y me devuelve la vida robada. Me adentro en el mar de mi cala, y nado hacia un barco que me llevará lejos, muy lejos.

Temo que sea una metáfora de la muerte. Pero aún así me dejo seducir.

Cierro el cuaderno donde escribo, me quito la ropa, me adentro en el mar.

Flotando a solas, desnuda sobre el mar silencioso y tibio, logro creer que he vuelto a la niñez.

Amparo ante las tormentas

Al amanecer del que va a ser último día de su existencia como personaje de cómic, Nocturno renuncia a la seguridad de muerte en vida que le otorga su invalidez, y decide no regresar a la clínica donde artificialmente lo mantienen con vida.

Berta Müller, por su parte, se dispone a abandonar Marbella para siempre, y así lo ha confesado a su único amigo, el psicótico vengador de la noche, sin imaginar que el desolado héroe la ama desesperadamente. Nocturno, sin ella, se encuentra desposeído de su última razón para seguir viviendo, y opta por esperar a que se agote la energía artificial de su columna vertebral de acero. Sabe que luego morirá, pero ya no le importa, o tal vez es lo que desea desde hace tiempo. Berta solo era el inalcanzable muro de contención contra el impulso de abandonarse.

La última viñeta de la serie, la última que dibujé y dibujaré, muestra al héroe en pie, observando partir el tren de Berta al amanecer, desde el tejado de uno de los edificios más emblemáticos de Marbella. Columnas de humo se dibujan contra el cielo desde distintos puntos de la ciudad, se oyen con regularidad tiroteos esporádicos, fuego de fusiles de asalto y mortero. Es el cuarto día de la brutal guerra entre mafias, y las autoridades locales, impotentes, han solicitado ayuda al ejército. La ciudad se derrumba, abandonada por sus habitantes, que huyen por carretera y en tren, únicas vías accesibles de escape. El aeropuerto es solo humo. La bomba nuclear de bolsillo diseñada por Niño Prodigio resultó más devastadora de lo que su propio autor llegó a imaginar. Cuando el último tren de supervivientes tome la curva y desaparezca, Nocturno se sumergirá en el hostil día soleado y quedará a merced de él, muy lejos de la noche que lo protegía y le daba su razón de ser.

Nocturno observa cómo las partículas luminosas del amanecer comienzan a imponerse sobre la oscuridad, refugio fiel cuyo umbral ya nunca volverá a traspasar.

Piensa que tal vez muera de melancolía, antes que de pura inanición. ¿Registrará la autopsia la magnitud de su tristeza?

Como este Nocturno agonizante, observo la cercanía amenazadora del nuevo día a través de la ventanilla del tren. Igual que hizo él con Berta Müller, yo también te evoco a ti.

Y siento la tentación de hundirme en mí mismo, de dejarme ir.

¿Ni una sola palabra sobre mi persona, amor? ¿Nada?

¿Cómo interpreto que no haya en tu libro una sola referencia a nuestra relación?, me pregunto cuando el tren se ha detenido ya, sacándome de mis pensamientos para enfrentarme al hecho de que estoy de nuevo cerca de ti. Me apeo y echo a andar hacia la salida.

Ni una sola mención a mi presencia en tu vida.

Camino cabizbajo, desvalido y por primera vez temeroso de ti y de nuestro encuentro. Sin saber por qué, echo de menos a Miguel.

Durante aproximadamente la mitad del trayecto, temí que reapareciese en cualquier momento, dueño de quién sabe qué nuevos afanes de agresividad etílica. Pero luego, al adentrarme en tu relato, ha desaparecido de mis inquietudes e incluso de mi recuerdo. Ahora solo siento tu indiferencia, el dolor real que me has provocado con tu desprecio. He sentido latigazos de cólera y odio, no te lo oculto.

El vestíbulo de la estación está casi desierto, apenas hay público por la temprana hora. Cuando cruzo ante la cantina camino de la calle, llaman mi atención dos equipos de televisión con las respectivas cámaras; sus componentes desayunan juntos, camino de la noticia del día. En el pasado, habría sido verosímil que me estuviesen aguardando a mí. Una vez concedí una entrevista en la estación de tren de un pueblo de la costa.

No, no era un pueblo, sino la mismísima Marbella. Se iban a presentar las Obras Completas de Nocturno en una jornada que se llamó «El héroe y su ciudad», con diversos actos sobre mi personaje que un grupo denominado Patria Marbellí trató de boicotear.

Enfilo la calle del apartamento que tengo alquilado desde el otro día. Ahora quiero buscarte con más razón. Al amor se une la rabia, y los dos se alían para echar leña al fuego de sus respectivas intensidades. Quiero abrazarte porque vas a morir, pero aunque vayas a morir exijo una explicación.

Ni una palabra sobre mí... Ni una sola...

–La ciento seis –digo a la joven recepcionista. Mi voz ha sonado ronca, como si llevara mucho tiempo sin hablar. Y ciertamente, así es.

–Ciento setenta euros a la semana. Por adelantado –recita ella mecánicamente. No me recuerda, debe de creer que soy un cliente nuevo.

Le entrego mi tarjeta de crédito, pasa la banda por la máquina y extiende ante mí un recibo que firmo sin protestar, ni leer siquiera. En realidad, tal vez ha pasado más de una semana desde que llegué la primera vez, no podría asegurar lo contrario. Al buscar en los bolsillos para sacar la tarjeta, compruebo que sigo llevando conmigo la botella vacía de cerveza.

¿La bebí al descender del barco?, me pregunto mientras subo las escaleras y abro la puerta del apartamento. ¿Fue al toparme con Miguel, cuando ufanamente creí que renunciaba a beber? 0'0, una molécula infinitesimal de alcohol puede bastar para despertar a la bestia de la sed, me repito a mí mismo mientras dejo la botella sobre la encimera de la cocina. ¿Y si volvió a ocurrir ayer?

Seguro.

¿Seguro?

Masajeo mi barba de días, siento en la boca la lengua pastosa, que me imagino de color tiza; mi ropa está arrugada, parece lógico tras dormir en el banco de la estación.

El viaje en tren no lo he soñado, acabo de apearme del vagón. Recuerdo con claridad cómo ayer me subí en Atocha, pero no cuándo cogí el tren para ir a Madrid. Aunque si volví, tuve que ir previamente.

¿Por qué no tengo resaca? ¿Por qué mi cabeza funciona bien, con la claridad que en el pasado me otorgaban la primera o la segunda copa? Seguro y ágil, invencible; así era antes de precipitarme montaña abajo. Podría estar a punto de ocurrir. Tal vez este, exactamente este, es mi último pensamiento lúcido antes del desastre.

Inspecciono el salón. La botella de ginebra que compré ha desaparecido. No hay rastro de ella sobre la mesa. Me perturban los agujeros de la lógica, los huecos en mi memoria turbia, que parece cargada de recuerdos desconocidos.

Regreso a la cocina buscando como un sabueso en celo. Encuentro la botella en la basura, vacía, entre cáscaras de limón y botellines de tónica. No recuerdo haberla bebido. Espera, ¿y si la recepcionista se equivocó y me dio la llave de otra habitación? ¡Estúpida, ha tenido que ser eso!

Pero no, el confundido soy yo.

Ante mí está el mismo calendario del mes de julio de 2015. Recuerdo que al principio de mi aventura enmarqué con un rectángulo rojo el círculo rojo que alguien, antes, había trazado alrededor del día 16. Sin embargo, ahora el número está limpio de cualquier marca. Para remediarlo, y porque ello me tranquiliza sin que sepa por qué, tomo el bolígrafo y rodeo el 16 con un grueso círculo rojo. El gesto me recuerda a otro idéntico que realicé ayer o anteayer, puede que antes, y que a su vez me inspiró la idea de salir con urgencia a comprar una botella de ginebra, convencido de que vencería cualquier tentación de beberla. Decido repetir mis movimientos. Sin botella no existe riesgo, y la única que hay en la casa está vacía en la basura. La lógica del planteamiento me inspira fuerza, renovada confianza en mí mismo.

Salgo a la calle sin cambiarme de ropa, rompiendo la línea recta de mis planes, que preveían ducharme, afeitarme, ponerme un traje limpio e ir a verte. No debo olvidar que he venido desde tan lejos por ti. Que huí para verte, aunque no me hayas dedicado una sola palabra en tus memorias.

También te comprendo, amor. Mientras salgo a la calle deprisa, sin despedirme de la recepcionista ensimismada en una revista del corazón, pienso que tu olvido, en realidad, tiene su razón de ser. Has contado la historia dramática, trágica, que llevabas dentro de ti. ¿Alguien sospechó lo que arrastrabas en tu corazón? Yo no, desde luego. ¿Y te digo algo? A pesar de todo, me alegra haber sabido que sigues teniendo conciencia y alma.

El supermercado me resulta familiar, aunque, en realidad, ni más ni menos que todos los supermercados. Tomo una cesta metálica, echo en ella algunos botellines de tónica y una bandeja de limones, también un abridor por si hubiera desaparecido el que compré el otro día.

Y por supuesto, la botella de ginebra. Solo quiero tenerla cerca para saber que soy capaz de renunciar a ella.

Pago con la misma tarjeta de crédito que entregué hace un rato a la recepcionista, y también el otro día a esta misma cajera. Tarda en imprimir el recibo, lo que me inquieta. Me ocurre siempre que la máquina se demora. Pienso en mis malas épocas, cuando la cuenta corriente estaba a cero y nunca sabía en qué momento la tarjeta iba a ser rechazada. Bromeo con la cajera, que me mira irritada, sin dejar de masticar chicle. Mi aspecto sugiere que la tarjeta podría ser falsa, o tener su saldo rebasado, o haber sido robada.

De pronto, recuerdo la estantería de los yogures. Lanzo hacia allí una mirada súbita. Mi idea es sorprender a Miguel.

Pero, naturalmente, no está allí. ¿Por qué habría de estarlo? ¿Por qué he pensado que estaría allí?

Firmo por fin la cuenta y salgo a la calle. Me apresuro aunque Miguel no me siga.

Vuelvo cada poco la cabeza, a pesar de saber que no viene detrás. Un par de veces me asalta la idea de esperarlo en un portal, y tengo que repetirme que no está aquí, que se quedó en mi casa de Madrid, mi antigua casa, bebiendo y dibujando a Nocturno.

Necesito apoyarme en el cristal del escaparate de una juguetería para recuperar el resuello. Hay muñequitos animados a pilas en movimiento, la nueva moda de este verano todavía más frívolo y estúpido que el anterior: toreros de moda, los antiguos reyes de España, Spiderman, Drácula, reinas anónimas de belleza con sus diademas brillantes. Diminutos, todos agitan sus brazos hacia mí. El espejo es opaco. Veo mi silueta reflejada en él, pero no mi rostro. Tengo que pararme, pensar.

Cuando deposite de nuevo la botella sobre la mesa del apartamento, y todo vuelva al orden que le correspondía, me ducharé y asearé para ir en tu busca. Eso es lo que vine a hacer y eso es lo que voy a hacer, mi amor. ¿Has visto? Te sigo llamando *mi amor*.

Entonces, repentinamente, en el preciso instante en que desemboco en la plaza repleta de bares, comienzan a doblar las campanas.

Son redobles de muerto. A pesar de ignorarlo todo sobre ritos de iglesia, lo intuyo por el ritmo parsimonioso y grave. Los tañidos parecen tener solidez física. Tras sonar, flotan en el aire y se quedan adheridos a él, como un eco de hierro sobrecogedor e interminable. Qué extraño contraste entre su solemnidad y la frivolidad de los turistas en camiseta y chanclas, rojos como pimientos morrones, preguntándose con la mirada si las campanas serán el anuncio de algún festejo típico, e irrumpirán de repente toros bravos por las callejuelas del puerto.

Los turistas, muchos de ellos, se hallan sentados a las mesas de los bares, y tienen ante sí malditos vasos ruidosos que comienzan a cobrar vida y saltan de pronto como serpientes; otro de los trucos favoritos de la sed en el pasado: atacar contra mi garganta, secándola como si hubiera tragado un saco de serrín, de forma que la evocación de una cerveza helada se convierte en una ansiedad virulenta, cargada de la energía suficiente para seducirme y vencerme. Mi debilidad se debe a ti, a tu indiferencia y tu desprecio. Ser nada, ausencia absoluta en tu recuerdo, me derrota en el presente y me arroja desvalido hacia un futuro que solo puede no existir. Contigo no tenía miedo a casi nada. Sin ti estoy aterrorizado. La sed lo sabe y se lanza sobre mí. Conozco esa técnica de asalto, consistente en aprovechar los instantes de puntual depresión extrema, porque fui su víctima más de una vez. Pero también aprendí cómo defenderme.

Entro a uno de los bares y apremio al camarero para que me sirva la mayor botella de agua que tenga. Trae de la cámara una de litro y medio, muy fría, casi helada, lo que puede suponer un obstáculo añadido. Desenrosco el tapón, tomo aire todo lo profundamente que puedo y lo expulso dos, tres veces. Luego, me lanzo a beber a morro. El frío me acuchilla la garganta, pero la sed, ante ese primer choque, retrocede. Me obligo a tragar más y más agua, con los ojos cerrados para concentrarme mejor en el esfuerzo. El líquido helado hincha mi estómago, parece que fuera a reventarlo. No me cabe una gota más, pero sigo bebiendo. La esperanza de victoria asoma con las primeras arcadas. Largos dedos gruesos parecen serpentearme por la garganta y las tripas, buscando provocarme el vómito. Lucho contra él, resisto. Cuanto más aguante, más duradera será mi victoria. Necesito parar de beber, pero a la vez necesito seguir haciéndolo. Me fuerzo a continuar. La sensación del hielo expandiéndose dentro de mí alcanza también las sienes y el cerebro, se intensifica un dolor agudo. Pienso en ti para vencer. Incluso creo oír tu nombre pronunciado en voz alta, y me atrevo a creer que eres tú, milagrosamente aparecida para apoyarme. Pero no es un sueño. Alguien ha dicho tu nombre completo, Amparo Sanz Valles. Agua, agua, agua. Noto cómo se vierte hacia el exterior por los ojos, en forma de lágrimas. Quiero gritar y por fin lo hago, pleno de felicidad triunfal, cuando la fuente de la botella se seca, agotada y vacía. Busco con la mano apoyarme en la barra, abro los ojos gimoteando. Dos niños pequeños me miran con curiosidad, muy atentos. Uno, que sostiene un enorme vaso de refresco del que asoma una pajita, me sonríe, tal vez solidario conmigo; el otro, en cambio, me escruta muy serio, incluso asustado. Pienso si no seré yo mismo de niño, aquella vez en una cafetería respetable, cuando un borracho desesperado entró tambaleándose hasta la barra, preso de temblores que le sacudían el cuerpo entero, y no logró que le sirvieran un trago. El camarero lo echó a la calle, pero antes la mirada del borracho se cruzó con la mía. En alguna ocasión soñé que me había lanzado una maldición. Y aunque ahora estoy sobrio, me pregunto si este chaval no estará grabándose a fuego mi imagen patética de adulto grotescamente enfermo, y la recordará en otro bar, dentro de muchos años, cuando esté en mi lugar y otro niño, predispuesto e intuitivo como él ahora, ocupe el suyo. Comienzo a boquear como si un animal pugnara por salir de mis entrañas. El niño del vaso de refresco se echa a reír y trata de disimularlo. Comprendo que puedo resultar cómico.

¿Quién ha dicho «Amparo Sanz Valles»?

No puedo detenerme a averiguarlo. Corro hacia el baño, ya son varios los clientes que me miran con extrañeza, también algún camarero. Logro encerrarme a tiempo y vomito el agua en soledad, a salvo de las miradas, una cascada interminable que devuelve la paz a mi estómago, presionado por la cantidad de líquido ingerido. Cuando lo he expulsado todo jadeo feliz, lloro. Las lágrimas por la placidez física se suman al triunfo sobre la sed. La garganta y el estómago, así agredidos y agotados, no pedirán más líquido. De momento.

Salgo del baño, recompuesto como puedo. Para no verme obligado a dar respuesta, aunque sea gestual, a las probables miradas curiosas que podrían reclamar alguna explicación, finjo clavar mi vista en la tele situada sobre un altillo, junto a la puerta.

Es entonces cuando te veo, dirigiendo uno de tus primeros debates televisivos, bella, arrogante e irresistible. Es una imagen de archivo. ¿Podría ser aquella primera que vi de ti? Cuando me enamoré irremediablemente, y todo comenzó, tanto tiempo atrás... Cada vez que una imagen de archivo aparece en un programa del corazón, como este, siempre es para anunciar una desgracia.

La presentadora del programa pronuncia tu nombre. No soñé, pues, mientras trasegaba agua.

... enviados especiales al entierro de la que fue querida compañera de esta casa y popularísima Amparo Sanz Valles.

Es entonces cuando reconozco en la pantalla otras imágenes de archivo, tú paseando por un pueblo costero, probablemente este en el que me encuentro. El lugar donde viniste a refugiarte sin imaginar que también morirías aquí.

¿Tú muerta, amor?

Las palabras todavía no me golpean. No las asimilo, floto en el limbo que generan a su alrededor:

Tú muerta, amor.

El niño del refresco me observa con renovada atención, ahora plantado junto a mí. Alarga el brazo, ofreciéndome su refresco. Es mi único consuelo en este instante de soledad severa, cruel, irreversible. No tengo adónde ir ni con quien compartir el dolor por tu muerte. Solo puedo sentir miedo. Solo tengo al niño desconocido que me ofrece su refresco.

Le sonrío, a punto de echarme a llorar. Voy hacia la salida. Ese niño, por un instante, ha sido mi único aliado contra el mundo, mi único amigo.

El otro crío me observa, ceñudo y en guardia. Nuestras miradas se cruzan, se clavan una en la otra. Me aterra la idea de haberle lanzado, sin querer, una maldición como aquella que pudieron echarme a mí. Por eso, de los dos soy yo quien primero agacha la cabeza.

En estos momentos, mientras les hablamos, está teniendo lugar el entierro de nuestra compañera en la localidad donde se había trasladado a vivir.

¿En estos momentos? ¿Ahora están echando tierra a tu féretro?

Féretro.

La palabra dispara una señal de alarma que aún no puedo precisar.

En la calle, sin conciencia de haber traspasado el umbral de la salida del bar, pregunto a una anciana por el camino del cementerio. Querías irte a solas, sin ruido, y anunciaste que te quedaban tres meses de vida cuando en realidad el tiempo era mucho más corto. Más lista que nadie hasta el final. E inevitablemente manipuladora.

Me apresuro por un camino de tierra amarilla aplastado por el sol, pronto me sorprendo corriendo todo lo que dan mis piernas y mis pulmones. No hay nadie a la vista, es la hora de la siesta, caigo en la cuenta de que el entierro habrá tenido lugar antes, seguramente por la mañana.

Féretro otra vez.

Pero ahora, de pronto, sé por qué la palabra representa una chirriante anomalía que me azuza.

¿Tan vertiginoso ha sido todo que ni siquiera pudiste disponer que te incineraran?

Imposible. Eso es imposible. Te daba pánico abrir los ojos en el interior de un ataúd sellado, me lo dijiste más de una vez, y por ello se ha disparado la alarma dentro de mí. Querías, exigías ser quemada y que tus cenizas se esparciesen... ¿Cómo era? Lo recuerdo literalmente. Lo bocetaste tú, y yo lo escribí para ti:

«Cenizas, cenizas todavía tibias, cenizas esparcidas desde cualquier acantilado sobre la espuma de un mar embravecido a los pies, en cualquier costa deshabitada, sin signos de civilización alguna en las proximidades.»

Cuánto he pensado en ti estos días, desde que huí. Cuánto he revivido mis recuerdos de siempre y con qué esperanza y generosidad, hasta amor, he recibido estos otros surgidos en las últimas horas desde las páginas de tu libro. Tú con tu hermana y con el viejo brigadista, tú en lo más alto y tú en lo más bajo, tú triunfadora y tú terminal; tú amándome, regalándome mi *gran instante blanco,* y tú escupiéndome a un lado, sin la caridad siquiera de una palabra en tus memorias. Te amo por todo lo que generas, lo que fuiste y sigues siendo. Te odio con sorpresa e ira por este silencio final.

No hay nadie en el camino, nadie en el cementerio de verjas cerradas. Pienso en saltarlas para buscar tu tumba, pero la duda sigue hormigueando dentro de mí. No me muevo del sitio, respiro el silencio y el polvo del camino.

Pienso, deduzco, comprendo.

Palabras literales:

«Cenizas, cenizas todavía tibias, cenizas esparcidas desde cualquier acantilado sobre la espuma de un mar embravecido a los pies, en cualquier costa deshabitada, sin signos de civilización alguna en las proximidades.» Palabras literales que agitan la duda en mí, amor. Expresaban tu mayor terror, vuelvo a repetirme: despertar en el interior de una tumba y morir allí de hambre y de espanto.

Así empezaba una de las historias de Nocturno, con el héroe soñando que despertaba en su propia tumba. Nocturno, pensamos tú y yo sobre la cama revuelta, desnudos y sudorosos a pesar del ventilador que nos refrescaba desde el techo, debía tener intensas depresiones, o accesos irresistibles de fascinación por el abismo, o inconfesables desviaciones sexuales... Un monstruo debe ser monstruoso, recuerdo que defendías tú, y no blanduzco y bondadoso. Mi cabeza deriva hacia los buenos momentos juntos, y por eso recuerdo que escribimos, como homenaje a nosotros mismos, una escena en la que Nocturno y Berta Müller reproducían una conversación real nuestra que había concluido con la misma promesa mutua que en el cómic se hacían nuestros protagonistas de papel:

«Si muero, quema mi cadáver», decía Berta Müller, y miraba ensoñadoramente el mar de la ciudad donde no había logrado ser feliz.

«Quemar mi cadáver hasta que sea cenizas...»

«Cenizas todavía tibias, cenizas esparcidas...»

¿Por qué no te han incinerado? ¿No tuviste tiempo de disponer la cremación? ¿No hiciste testamento? No puedo creérmelo, aunque quiera.

Entonces pienso en el niño que te abrazó en la playa.

Y me encuentro caminando hacia tu último hogar en la tierra, apresurado por el miedo a que las claves que allí puedan dar respuesta a mis preguntas se disuelvan si tardo demasiado en llegar.

Repentinamente, mientras doy grandes zancadas que me hacen sudar, caigo en la cuenta de que has muerto. Sin ti, sin la esperanza de recuperarte, me quedo solo en este lugar llamado vida. Solo en medio de un camino perdido de tierra, con todos los años del mundo por delante para ser testigo impotente de cómo mi soledad crece y se solidifica. Para no pensarlo, hago lo único que puedo hacer: caminar aún más deprisa.

Hasta que la casa surge ante mí.

Recupero el resuello. El humilde y viejo chalecito, visto ahora, resulta impresionante y desolador porque es el escenario último de tu existencia. El lugar del que saliste para no volver, en el que todavía aguardarán muchas de tus cosas.

¿Cómo se entra a una casa donde nadie te ha invitado, pero en la que ha muerto la mujer que amabas y sigues amando? ¿Tocando el timbre?

Lo hago, primero con suavidad y luego con firmeza, reiteradamente. Como cabía esperar, nadie responde, aunque en el interior, al parecer proveniente del jardín trasero, se escucha un piar de pájaros serenísimo, alegre y natural en su festejo del día soleado. Con ellos de fondo no parece posible que aquí haya muerto nadie.

Rodeo el edificio en busca de una pista sobre el siguiente paso que debo dar. Los pájaros me acompañan. Pronto me molestan, empiezan a impacientarme, lo que era armonía de paz se vuelve parloteo irritante. Son los únicos testigos de mi triste e indigna situación, comportándome como un vagabundo o un ladrón. Por ti me decido a entrar por la fuerza. Me da permiso una convicción que me repito obsesivamente: jamás habrías consentido que te enterrasen dentro de una caja de madera.

El cristal de una de las ventanas traseras muestra una fina grieta a lo largo de toda su superficie, y aparece ligeramente desencajado de su base. Apoyo contra él las palmas de las manos y hago presión. Nada ocurre. Vuelvo a intentarlo, y tampoco. Debo hacer mayor presión. Siempre he sido físicamente cauteloso, cobarde. Reprochándomelo a mí mismo, hallo valor para probar de nuevo. Doy dos pasos atrás, tomo impulso y lanzo las manos contra el cristal. Ahora sí cede. Cae al interior hecho añicos, ruidosamente. Noto picor en las palmas, humedad pegajosa, cortes. Seco la sangre sobre la pechera de la camisa, pero sigue manando. Introduzco una mano por el hueco, ahora sin prudencia alguna, y abro el pasador de la ventana desde dentro, dejando huellas de sangre allí donde toco. Me cuelo al interior, tras restregar otra vez las manos sobre la camisa. Necesito vendarlas. Rasgo un mantel con puntillas que cubre la mesa camilla. Hago unas cuantas tiras desiguales, demasiado largas, y me envuelvo con ellas las manos, anudándolas burdamente sobre sí mismas. Recuerdan a esas vendas protectoras que se ciñen los boxeadores antes de enfundarse los guantes, pero con el matiz ridículo que les dan las puntillas. Me seco el sudor de la frente y de la cara con los restos del mantel. El calor es espantoso, me arde la cabeza, y tomo al vuelo un sombrero de ala ancha que cuelga encajado del respaldo de una silla.

Mi intromisión está dejando huellas de sangre. Nada podía resultar más alejado de mi intención; en silencio te pido perdón, aunque ya no te importe.

Cuando accedo al salón, me deslumbra un gran estanque de luz blanca. Los espacios luminosos siempre me han parecido expresivos, plenos de hermosura y de paz, y dignos de ser habitados para siempre, de consumir en ellos nuestros días.

Este salón lo cumple como pocos que haya visto. Supongo que tú, que compartías esta percepción, elegiste la casa por este enorme ventanal que ocupa toda la pared del fondo.

Luz blanca de nítido día soleado. Por un instante me ciega, y solo cuando mis ojos se acostumbran, ya junto a la cristalera, vislumbro la playa desierta al otro lado, con el mar más allá. Seguro, elegiste la casa por este ventanal y por esta vista, apostaría la vida en ello. No me cuesta imaginarte plantada donde ahora me encuentro, reflexionando que un sitio así, con este mar a tus pies, era el lugar que merecías tras tu largo y duro periplo por la vida.

Un extraño insecto se desplaza por la quietud absoluta de arena, a lo lejos. ¿O son dos, uno más pequeño que el otro?

Sobre una repisa, en uno de los armarios, hay unos prismáticos. Los tomo y salgo al exterior, en busca de la mejor posición para espiar. Me encaramo a una roca alta que, desde el límite del jardín, se asoma sobre la arena.

Enfoco hacia los insectos. Resultan ser humanos. Dos personas a las que reconozco. Mi corazón se detiene, vuelve a latir. La sed aletea de repente sobre mí, como siempre que un revés de cualquier clase, o el simple miedo, impactan contra mi desbaratado espíritu.

El niño camina junto a la muchacha india por la arena. Ambos van en dirección hacia...

La sensación de haber vivido esta escena empuja los prismáticos hacia la derecha.

Mi vista captura a una mujer vestida de blanco, tocada con gorra también blanca, sentada frente al mar, de espaldas a mí. ¿Estará pelando una naranja con las manos?

El desasosiego de que puedas ser tú se vuelve evidencia de que eres tú en el instante en que te quitas la gorra y aparece tu cráneo completamente rasurado.

¡Estás viva!

Me oigo bufar de alivio, de alegría.

Tu rostro se vuelve para sonreír al niño, que echa a correr hacia ti, tal y como vi desde el barco hace mucho tiempo o hace muy poco, en otra esquina de esta alucinación que me desborda.

Tú, amor.

No solamente viva. Además, pareces feliz.

Durante una décima de segundo de brutal verosimilitud imagino que yo también he muerto, igual que supuestamente tú, y que este es nuestro anhelado reencuentro, solo posible tras los fallecimientos de los dos. La luz blanca que nos rodea se alía con la nitidez del silencio para corroborarlo.

El desconcierto me nubla la vista, el sudor de la frente me humedece los ojos con una sensación de picor. Me los seco y miro hacia el horizonte a simple vista. Busco, en medio del mar, el barco de recreo que según recuerdo falta en la escena.

Y ahí está...

Enfoco con los prismáticos de un golpe seco, resuelto, razonablemente expectante de hallar lo que en efecto hallo al otro lado de las lentes.

Sobre cubierta, un hombre con prismáticos me observa.

Nos estudiamos un instante, a pesar de la distancia casi puedo percibir el pulso de tensión entre ambos. Giro sobre mí mismo e inicio el descenso hacia la arena, saltando entre las piedras y notando cómo los pulmones me saltan dentro del cuerpo, asfixiándome. Mientras corro, pienso en la mancha de sangre en la ingle de Miguel, en la que reparé cuando ambos nos observábamos con los prismáticos, antes de que me dijera que no tenía nombre y le prestara el mío. El recuerdo me dispara un pinchazo de dolor en la entrepierna, y se desliza muslo abajo una desasosegante sensación de humedad pegajosa.

Prefiero no mirar, pero sé que es sangre.

Jadeo, me tambaleo por el cansancio al aproximarme, paso a paso, a la mujer sentada sobre la arena. A pocos metros, la muchacha india trata de reducir al niño, que parece empeñado en meterse en el mar y juega a esquivar a su cuidadora. Ambos se divierten. Hay ternura y cariño. No parece que esto sea el infierno. Y si lo es, resulta más apetecible que el cielo.

Te observo, apostado ocho o diez metros por detrás de ti. No quiero que me veas jadeante ni ansioso, pero sudo, tengo calor y estoy sucio, por no mencionar la sangre en la ingle. Tú respiras paz. Yo parezco un criminal al acecho. A veces el amor arroja saldos así.

Quiero estabilizar mi respiración y a la vez quiero que no se estabilice, pues cuando ocurra tendré que hablarte. Hablarte de nuevo, tanto tiempo después. ¿Cuánto llevamos sin vernos en persona, mi amor? Me juré que haría el cálculo exacto cuando por fin te tuviese ante mí, pero sigo sin atreverme. Y pienso en otra cuestión, también terrible:

Una palabra. La primera para pronunciar, la más difícil de definir, la peor. ¿Por cuál empezar?

–El niño, tal vez... –sugiere una voz en mi cabeza. ¿Ha sido Miguel, con su malvada sonrisa alcoholizada?

–El niño –repito en voz alta, obedeciendo mansamente.

Tu espalda y cuello se tensan al oírme. Te has alarmado. Soy un intruso en tu playa, en tu vida. Te vuelves como un felino ante el peligro, poniéndote en pie a la defensiva, y te reconozco en esa resolución. Nunca retrasabas el enfrentamiento con los problemas, ¿por qué ibas a hacerlo ahora?

Veo sorpresa en tu rostro. No por haberme reconocido, cosa que nunca esperé que ocurriese sin que yo me identificara previamente, sino precisamente por no reconocerme. ¿Quién puede ser el tipo este?, pareces preguntarte, te estás preguntando sin duda.

Cautelosamente, desplazas el pie derecho para asentarte sobre la arena. Puedo ser un peligro, no lo descartas. Sonrío por dentro. Pienso cómo te relajarás cuando sepas que bajo esta máscara de sudor y barba descuidada de días está el hombre que más te ha amado, el hombre que te sigue amando y te amará siempre.

–¿Qué pasa con el niño? –preguntas con precaución infinita, los ojos entrecerrados y las cejas inquisidoramente fruncidas. Buscas ganar tiempo. Tu mente trabaja a toda prisa, tratas de componer la situación para dominarla: ¿Quién soy? ¿Qué quiero? ¿Puedo ser peligroso? Esas son las preguntas que surgen de tu cabeza.

Es obvio que no me has reconocido. Aún no.

Tranquila, yo también estoy nervioso, amor. Radiografío tu rostro. Busco en tu belleza las heridas de la enfermedad y no las hallo. Tu mirada sigue siendo intensa y absorbente. ¿Me equivoco o hay un punto de tristeza detrás de esos ojos que me estudian con desconcierto creciente?

No sé qué decir a continuación. Saco del bolsillo tu libro y te lo muestro como una bandera blanca en medio de la batalla.

–No estás muerta –acierto a pronunciar.

Ahora sí veo preocupación verdadera en tu expresión.

–¿Quién coño eres? ¿Vienes de alguna tele?

–No, Amparo. Yo...

–De qué tele, dime. ¿O es un periódico? No he llegado hasta aquí para que nadie me joda, te lo advierto. ¿Quieres chantajearme? ¿Cuánto pides? ¿Estás tú solo en esto o hay alguien más?

–Solo, por supuesto... –me apresuro a tranquilizarte, desconcertado por tu errónea interpretación de todo, asustado por tu bombardeo–. Te vi y...

–¿Cuándo?

–Hace unos días, en la tele. Dijeron que estabas enferma, muy enferma. Escapé para venir a verte. Para abrazarte. Pensé que necesitarías consuelo. Imaginé que morirías sola, y no podía consentirlo. He reflexionado demasiado sobre la idea de envejecer y morir sin nadie al lado, sin nadie que te consuele.

Tu respiración, agitada de repente, te traiciona, desvela tu inquietud y tu impaciencia a pesar de que procuras mantener fría la mirada. No he debido pronunciar la palabra «escapé», puedes haber pensado que me refería a la cárcel, o a algún manicomio. Por supuesto, las manchas de sangre en mi ropa y en mis manos no contribuyen a tranquilizarte. Aunque sí debería de hacerlo mi rostro, mi persona. No comprendo que aún no me hayas reconocido.

–Así que has reflexionado... –repites. Tratas de ganar tiempo.

Entonces caigo en la cuenta. Tienes algo importante que ocultar. Por eso estás a la defensiva, por eso la palabra chantaje. Acaban de enterrarte por televisión, y sin embargo sigues viva. Has mentido al país entero, y eso vale dinero. Pero ¿cómo eres capaz de sospechar siquiera que yo puedo querer otra cosa que tu abrazo, tus palabras?

Ya no queda otra opción que lanzarme:

–¿Es que no me conoces? –la voz me tiembla de emoción, de amor y de miedo–. Soy Miguel...

–¿Miguel? –el brillo de algo parecido al reconocimiento intensifica tu mirada, y de rebote mi esperanza. Tus ojos pasan del libro a mi rostro y de mi rostro al libro. Se crispan tus rasgos–. ¿Qué Miguel?

Trago saliva. Ansío una fisura mínima por la que acercarme a ti pero no me la concedes, encastillada tras los muros de ti misma y de lo que dentro de ellos quieres proteger.

Dubitativamente, saco del libro el folio con el dibujo que hice para ti. Te lo extiendo alargando al máximo el brazo, para que no interpretes mi aproximación física como una amenaza. Antes de tomarlo vuelves la vista hacia el mar, como si esperaras ayuda de él.

Una lancha motora se aproxima hacia la playa.

Miras el folio y elevas la vista hasta mi cara. Es obvio que todavía no entiendes. ¿Sonrío, o espero otro poco? Estudias de nuevo el dibujo, aprietas los dientes. Dos parpadeos breves como relámpagos, cólera o enfado, puede que también asombro, te sacuden los ojos.

–Señora...

Ambos miramos en la dirección de donde ha provenido la voz. La muchacha india se detiene a unos pasos, captando la tensión en el aire que nos rodea. La sonrisa alegre que traía dibujada se congela, expectante.

–El barco ya llegó, señora. Está viniendo la lancha para buscarnos –anuncia.

–Vale, sube las maletas. Que el niño te ayude.

La muchacha asiente y se retira.

Esta pausa te ha dado tiempo de rearmarte, de pensar. Creo que ya sabes qué decir y cómo actuar.

–Como puedes ver, vamos a irnos en cuanto carguemos nuestras cosas. Y esto... –durante el instante que dedicas a buscar la frase precisa, agitas hacia mí el folio en gesto de impaciencia–. ¿Qué coño es?

En tu mano crispada, los trazos inconcretos y dubitativos del dibujo parecen manchas emborronadas por un tonto, carentes de todo sentido. Siempre fuiste rotunda en tus decisiones, agresiva cuando hacía falta, crítica y sin concesiones con mi trabajo porque eso lo podía mejorar, decías con razón; y así te muestras cuando, ante mi mutismo impotente, haces una bola con el folio, lo aplastas meticulosamente con los dedos y lo arrojas a un lado, hacia la orilla donde antes o después una ola se lo llevará entre espuma.

–Soy Miguel... –acierto a repetir. Mi nombre es la única arma de que dispongo, y no tengo más esperanza que intentar despertarte el recuerdo de lo que fuimos. Pero nada relaja tu recelo.

–¿Miguel? ¿Qué Miguel?

–Ariza.

¿Tengo otra opción que fiarlo todo a esa palabra? Añadir otra explicación sobre mi persona, por mínima que sea, es aceptar que no me reconoces; que no me recuerdas o peor, que hace mucho que me olvidaste. Que nunca fui nada. Por eso me limito a decir mi apellido. Y espero.

–Miguel Ariza... –repites.

Te relajas un poco, das un par de pasos sobre la arena, una vuelta sobre ti misma. Pareces incrédula, y se diría que los recuerdos que te provoca mi nombre están a punto, sí, no me engaño, de hacerte reír.

La muchacha y el niño ayudan a los tripulantes a cargar el equipaje en la lancha, que se ha detenido a unos metros de la playa. No les importa mojarse; juegan, dichosos por la inminente partida. Tú también estabas feliz antes de nuestro reencuentro.

¿Por qué uso esta palabra? Está pasando algo anómalo que ni imaginaba ni soy capaz de comprender. Tu callada risa sarcástica se transforma por segundos en irritación.

–Miguel Ariza... –vuelves a decir en voz baja, completamente inexpresiva.

Espero con ansiedad, mendigo en silencio otra palabra tuya. La dignidad desbaratada debe evidenciarse con claridad en mi cara, porque ahora me miras con lástima; lo que, nueva indignidad, me conforta y alegra. Quien no tiene nada se conforma con cualquier cosa.

–El dibujante... –añades, asombrada.

Tu tensión se ha evaporado. De repente sabes que dominas la situación, que no debes temer nada.

Doy un paso hacia ti, como un perro sumiso y fiel. Todo va bien si me has reconocido.

Las maletas se encuentran ya en la lancha. A bordo, la india y el niño esperan que te unas a ellos.

Doblas la espalda y recoges del suelo tu bolso y algunos objetos que tenías desperdigados sobre una toalla extendida en la arena, que sacudes apresuradamente antes de echártela al hombro. Me miras echando fuego de incredulidad, también de rabia. ¿Cuántos sentimientos distintos ha expresado tu rostro en unos segundos? Vas hacia la lancha sin decir una palabra más. ¿Esta va a ser tu despedida? Otra vez el desprecio del silencio, como si no bastara el contenido en el libro.

Tengo que defenderme, lograr que permanezcas. Y sé cómo hacerlo.

–Los cámaras que han rodado tu entierro están por aquí –grito en tu dirección–. Los vi en la estación. Les diré que sigues viva, que todo es una farsa.

Te paras en seco. Hay mucho en juego, acabas de descubrírmelo con tu actitud. Reflexionas un instante y elevas la voz en dirección a la lancha.

–¡Id al barco! ¡Que vuelvan por mí en media hora!

La muchacha y el niño, también el marinero a los mandos, obedecen sin rechistar; sigues sabiendo mandar en todo lugar y circunstancia. Me vas a dedicar media hora, lo he logrado aunque sea mediante el chantaje. Media hora infinita. Todo puede pasar en ese tiempo. Tal vez todo haya valido la pena. Siento un latigazo de felicidad.

Te aproximas a la orilla para recoger el dibujo que tiraste hace un instante. Lo alisas con mimo meticuloso, pareces tu propia imagen de antes filmada hacia atrás. Siento que ese papel soy yo, que recompones mi vida con tus dedos y me das otra oportunidad.

–¿Por qué has venido, Miguel?

–Para abrazarte antes de que murieses. Te lo he dicho antes.

–Ya. ¿Y por qué ese afán?

–Porque te amo –respondo resuelto, preguntándome si debo de añadir algo. Pero en las tres palabras que acabo de pronunciar se halla contenido todo, y no quiero diluir su efecto con más ideas; aunque hay un matiz que es necesario precisar–. Nunca, desde que te fuiste, he dejado de amarte.

Callas un momento, sopesando la situación. No ablandas tu rictus severo, pero por otra parte poseo información que puede hacerte mucho daño y lo sabes. Jamás la utilizaría contra ti, pero no puedes estar segura de ello. Y como un infame, me aferro a esa duda tuya para seguir esperanzado.

–Miguel, voy a darte la oportunidad de demostrar que me amas. Así veré si es cierto.

Doy un paso al frente, creo que con cierto aire marcial, ridículo. Ridículo y feliz.

–Si has leído mi libro, habrás visto a quién está dedicado...

–A tu hermana Eva, sí. Al ser autobiográfico –digo, incapaz de contenerme– pensé que habría referencias a mí, a nosotros dos...

–Exacto –ignora ella mi súplica implícita–. A Eva. Has leído cómo murió, supongo...

–En el libro, sí –asiento–. El accidente del camión.

–En abril de 2014. El miércoles próximo hará quince meses justos. No tengo tiempo para entretenerte con detalles, pero su muerte, que al principio me hundió, cambió luego mi vida. Me salvó. Yo estaba podrida, muerta en vida, hastiada. Y mi hermana vino a salvarme con su muerte. Lo cuento en el prólogo de mi libro, y es verdad. La única verdad. Ese niño que has visto subir a la lancha es su hijo. Lo mejor, o lo único bueno de su vida. El día que incineramos a Eva pensé que debía hacerme cargo de él. Luché conmigo misma, contra mi egoísmo, durante días. Mi vida estaba estancada, y esa rutina, que parecía tan difícil de romper, no era la situación ideal para hacerme cargo de un niño. Vaya por delante que mi sobrino y yo siempre nos hemos llevado muy bien, sino ni me lo habría planteado. O sí, ¿quién sabe? El chaval se quedaba solo, Eva tuvo a su hijo sin pareja estable, lo eligió así y así lo hizo con toda premeditación. Y mis padres habían muerto hacía tiempo. Dejar solo a un niño de diez años... Terrible dilema. El día de la incineración tenía al chaval a mi lado, y no sé por qué pensé en la escena de mi libro, esa en la que Joan Martín había filmado a los inmigrantes que quemó después. La película se cerraba con la mujer guatemalteca sosteniendo en brazos a su hijo. Me vi como ella, me identifiqué... Lo más importante de la vida es la vida misma, las personas que tenemos con nosotros. Aquella guatemalteca me iluminó. Decidí adoptar, o como quieras llamarlo, a mi sobrino. Hacerme cargo de él, ser su tutora. Si has leído mi libro, sabrás que en el prólogo hablo del segundo de los deseos que me regaló aquel viejo brigadista, ese que guardé durante años, a la espera de la ocasión ideal para formularlo. Pues ese es mi deseo: que este niño y yo seamos felices; bueno, me conformo con que nos vaya razonablemente bien. Eso es, que nos vaya todo lo bien que pueda irnos. Pero antes de ponerlo todo en marcha, tenía que arreglar mi vida. Empezar de cero sin televisión, sin fama... aunque con dinero, claro.

Cuanto más mejor. Mantuve en riguroso secreto que había adoptado a un niño. Pero el mismo día que firmé los papeles, puse en marcha mi plan de liberación. Decidí aprovechar mi popularidad para desaparecer. Anuncié que me había sido diagnosticado un cáncer. Era mentira, pero qué importaba otra más. Mentir ha sido mi vida, mi carrera, mi brillante profesión. Gracias a la gente que conocía en la prensa rosa, di enorme difusión a mi falsa enfermedad, que todos creyeron real. Periodistas amigos hicieron de mí semblanzas emocionadas, y hasta los enemigos soltaron algún elogio. Ni unos ni otros sospecharon que mi muerte anunciada era una invención. Vendí mis tres casas en Madrid y me vine a este pueblo. Quería que pareciera una retirada a un lugar discreto donde reflexionar, pero también que todo el mundo supiera dónde estaba, y filtré la información. Funcionó, ya ves que hasta tú has aparecido. Me afeité la cabeza como si acudiera a sesiones de quimioterapia, concedí entrevistas en las que hablaba del renacer de mi espiritualidad ante la inminencia de la muerte... ¿Sabes que mi popularidad subió como la espuma con todo eso? Fijé para hoy, sábado, el día de mi muerte. Es el día ideal para este tipo de noticias. La gente está en casa, comenta los últimos sucesos tomando el aperitivo con los amigos, ve los noticiarios. Este fin de semana subirán las ventas de mi libro. Lo escribí para despacharme a gusto con mi ambiente laboral. Un ajuste de cuentas del que no me interesa tanto ganar dinero, que lo voy a ganar, y mucho, como reírme de todo el mundo una vez más. ¿Sabes que todo lo de Joan Martín es mentira? Nunca ha existido el chaval asesino, aunque debes reconocer que le da mucho morbo y gracia a mis supuestas memorias. Casi me despido como una heroína. Fue muy fácil montarlo. Solo tuve que buscar un suceso terrible sin aclarar, como aquel incendio en una barriada de chabolas de inmigrantes, y echarle la culpa a mi joven asesino en serie. Tengo escrito otro libro. *Reflexiones ante la muerte*, se llama. Ficción también, claro está, aunque en este caso muy espiritual. Descojono puro y duro. Incluso pensé meter un capítulo diciendo que al final de todo descubro a Dios, pero al escribirlo me sentía un poco ridícula, demasiado melodramática. Quedé con mi editor en que lo publicaría apenas muriese. Ahora mismo debe de estar ya frotándose las manos, el muy hijo de puta, mercachifle cabrón. Él tampoco sabe la verdad, por supuesto. Mandará el dinero a una cuenta a nombre de mi sobrino. Me engañará con las liquidaciones, ya cuento con ello, pero en realidad no necesito el dinero, y le he sacado un adelanto más que sustancioso. Gané mucho con mi telebasura maquillada de compromiso, muchísimo. He comprado una casa parecida a esta, también con playa propia, al otro lado del mar. No te digo qué mar para que no lo vayas diciendo por ahí, este secreto sí que me lo guardo. Aunque, por tu aspecto, tampoco temo que te creyeran. Voy a empezar de cero. ¿Cuántas personas lo darían todo por empezar de cero otra vez? Y aquí viene tu gran prueba de amor, Miguel.

Te encasquetas de nuevo la gorra. Me miras sin sonreír. No has sonreído una sola vez en todo tu monólogo.

La motora ya regresa, se escucha su motor a lo lejos.

–Puedes contar todo lo que te he dicho o callarlo para siempre. Lo segundo sería la prueba de que efectivamente me amas. Esperas a que la lancha me lleve hasta el yate, me ves partir y luego te sientes bueno y sublime por tu decisión de llevar mi secreto hasta la tumba. Podría decirte que me da igual que hagas una cosa o la otra, pero no sería cierto. Prefiero que hagas la segunda. Elección tuya, Miguel. De ti depende.

–¿Puedo abrazarte? –pido como el condenado a muerte que soy. La última voluntad, antes de que vayas hacia la motora que ya te espera cerca de la orilla.

–No –respondes secamente. Pero tienes la amabilidad de añadir una explicación–. Los últimos tiempos junto a ti fueron demasiado desagradables, odiosos.

Te giras y caminas hacia la orilla. No miras atrás.

Decidida como siempre, y ahora libre, avanzas mar adentro hasta que el agua te cubre las rodillas.

Sin detenerte sueltas los tirantes del vestido y arrojas a un lado la gorra. Luego te zambulles y nadas hacia la lancha, que tras recogerte parte a toda velocidad hacia el barco.

Vas hacia tu nueva vida desnuda, galopando plena sobre el mar. Eres incapaz de renunciar al exhibicionismo, y aunque te vayas no puedo dejar de admirarte.

Tu presencia física se desvanece cuando el barco desaparece tras el bloque rocoso que limita la cala. De tu espíritu, al poco, solo quedan una gorra y un vestido blanco a merced de las olas.

Me sigues recordando. Pero no me has podido, o querido, perdonar.

–¿Qué pasó? ¿Qué fue exactamente lo que pasó la noche de Navidad? –te pregunté con desesperación al poco de aquel fatídico día de diciembre, cuando ya era irremediable nuestra separación.

Insististe en que nos viéramos en un lugar público, y nos encontramos en el Parque del Retiro, junto al estanque. Una humillación innecesaria, cruel. Pero temías verte conmigo a solas. También había agua a nuestro alrededor, como hace un instante. La del estanque aquel día, la del mar ahora. Para colmo, tenías una cita de trabajo una hora después. Quisiste dejar claro que hablar conmigo era un simple trámite, un paso molesto que era preciso dar antes del adiós definitivo que unilateralmente habías decidido.

Como hoy, fuiste implacable en tu dureza.

–¿Qué pasó? ¿Qué fue exactamente lo que pasó la noche de Navidad?

Recuerdo que me miraste atónita, incrédula de que pudiera no saberlo.

Habías accedido a sentarte en la terraza de un bar tras reiteradas súplicas por mi parte, pues al principio querías solventar la conversación de pie, apresuradamente, como si te quemara mi cercanía.

Y por fin salió de tu boca la frase tras la que no había remedio. Soy injusto, en realidad lo que no tenía remedio era el acto que yo cometí, y que tú te limitabas a certificar.

–Me pegaste, Miguel.

¿Podías haber dicho algo más terrible? Entonces pensé que no. Hoy, tras darle infinitas, interminables vueltas en mi cabeza, sigo pensando que no. No podía haber hecho nada peor que aquello que me resistía a creer.

Hoy, a pesar de todo mi amor por ti, me sigo negando a creerlo.

–¿Te pegué? ¿Cómo? ¿Cuándo? Yo...

Extendiste ambas manos a la vez, con las palmas hacia mí y la cabeza ligeramente torcida. Tu gesto para zanjar la conversación.

–No acepto ni preguntas ni dudas, Miguel. Esa noche terminó todo. No puedo estar ni un minuto con un hombre que me ha puesto la mano encima. Si he accedido a verte es para que lo tengas claro y dejes de llamarme de una puta vez.

Y así, sin más, te levantaste y te fuiste.

Y así, sin más, se acabó.

Permanecí largo rato en aquella terraza. Al principio indignado contigo. ¿Por qué me habías mentido? ¿Querías acabar lo nuestro y no encontraste manera más expeditiva? Nunca en mi vida había tocado a una mujer, mucho menos a ti.

¿Cuál era tu juego?

Poco a poco creció la irritación dentro de mí. Creo que tomé una copa allí mismo, o dos.

Y aquí estoy de nuevo, en este gran final ante el mar.

Una gran viñeta a toda página, con todos los elementos idóneos para un desenlace trágico. Una playa solitaria y una ruptura amorosa, la heroína ante su nueva vida feliz y el héroe abandonado, desgarrado y solitario. Si fuera una de tus mentiras televisivas, la culminarías con un plano filmado desde una grúa sobre el hermoso escenario donde ya no estás.

Respiro estupefacto y vacío, ofuscado por el terror a mi siguiente paso. No me diste una mínima ocasión entonces, y no me la has dado ahora. Se renueva el martirio. Casi había logrado convencerme de que todo fue una invención tuya.

Pero acabas de actualizar la terrible duda.

Toda la sed del mundo se agolpa en mí con sonrisa de victoria inminente. Tu partida la ha liberado, como si fuera un perro de presa enloquecido de hambre. ¿Qué razón tengo ya para no satisfacerla?

–No es verdad –dice entonces una voz a mi espalda–. Nada lo es.

Como si obedeciera al conjuro de esa frase, el sol amarillo en lo más alto del cielo azul inicia un descenso vertiginoso, a velocidad de cometa o de trucaje cinematográfico, inverosímil pero real, hacia su ocaso rojizo del atardecer.

Antes de que me vuelva hacia la voz, ya se ha cerrado a mi alrededor el silencio de la noche repentina que solo rompe el murmullo del mar.

–No he encontrado a Petra, ni la encontraré –dice ahora la voz–. Por tanto, es la hora de mi venganza.

El gran instante negro

Las horas transcurridas, si realmente ha transcurrido alguna, han envejecido el depauperado aspecto de Miguel, afeándolo. Antes parecía un moribundo; ahora se diría que es un resucitado, lo que resulta más lúgubre. El brillo rojizo de sus ojos surge, como su irritante sonrisa idiota, de esa precisa euforia alcohólica que precede a la demencia. Borracho, parece malvado y colérico. Y sin embargo, no me asusta. Tal vez porque reconozco la tristeza desoladora que late tras su ira. Es idéntica a la mía.

–Aunque –concluye acercándose; su cojera también parece más pronunciada– si nada fuera verdad, tampoco lo sería la afirmación de que nada es verdad. Bah, poco le importa al preso encerrado en la perrera de cemento. Qué más le da que afuera luzca el sol y se pueda volar en avioneta sobre las playas libres, ¿no crees?

Llega a mi altura avanzando como si yo no estuviera, y continúa cuatro o cinco pasos en dirección a la orilla. ¿Puede que no me haya visto, bebido como está? ¿O que divague para sí?

Dobla las rodillas ante las olas. Su cuerpo cae como un fardo. Sentado con las piernas cruzadas parece un buda yonqui al que hubieran prestado ropa sucia. Me siento junto a él, imito su postura. Las olas, suaves y débiles, nos acarician al ascender por la arena, mojándonos los zapatos y las perneras de los pantalones, y llenan de arena nuestros bolsillos cuando retroceden de nuevo. Esto, al menos, sí es verdad: estoy sentado en la arena, ante las olas.

–Petra ha muerto –Miguel mantiene la vista clavada en el frente, sobre el mar color noche clara. En sus ojos creo ver lágrimas, pero podrían ser las luces costeras situadas a la izquierda, culebreos verdes y amarillos que se alargan por encima de la masa de agua en movimiento y vienen a morir, brillando, sobre nuestras pupilas. Calla, e intuyo por el expresivo silencio que su mundo se ha derrumbado, como el mío hace un minuto, o una hora, o un día, o cuando fuera que te marchaste. Miguel, este Miguel paralelo a mí en tantas cosas, huyó del encierro donde yo también languidecía entre médicos afables y enfermeras comprensivas, a merced de las almas en pena que nos cruzábamos por los pasillos, en busca, como yo, de una mujer.

Y como yo, la ha perdido.

–Peor que perderla, Miguel. Petra no ha muerto.

Le escucho, percibo su pena. Agita su pecho en cada honda respiración.

–Peor que perderla, sí. Debe de estar por ahí, viva, en quién sabe qué confín del mundo, aventurera como ella era. ¿Cómo encontrarla? Mucho peor que si hubiera muerto. Estuve demasiado tiempo fuera. Ausente, encerrado. Y he vuelto demasiado tarde. Las pocas pistas que podían conducirme a ella me han llevado a ninguna parte. Nadie sabe nada. Eso es morir aunque no haya muerto, ¿no crees? Por todo ello –concluye tras inspirar profundamente– me parece justo vengarme.

Vuelve la vista hacia mí. Inexpresivo y expectante; grave y por primera vez peligroso. No bromea.

¿Quién es Petra?, me gustaría atreverme a preguntarle aunque recuerde su violenta reacción cuando aquel camarero, ingenuamente, también se lo preguntó.

–Petra es la mujer que Amparo y tú me robasteis. La mujer que yo amaba.

Saca de alguna parte una botella de medio litro; alcohol transparente, ginebra o vodka. Se halla en ese punto de ebriedad donde poco importa cuál sea el licor concreto. Bebe a morro, pensativo y obstinado.

–No te ofrezco –dice con otra risita, sosteniendo la botella en el aire después de beber– porque sé que has dejado de beber.

–¿Robártela? Si no la conocíamos... ¡Ni a ti! ¡A ti tampoco te conocimos! ¡Ni Amparo –me arriesgo a afirmar– ni yo!

Dentro del rostro pétreo, solo los ojos realizan un movimiento mínimo, entrecerrándose apenas, intensificado su brillo por el alcohol y por el odio.

Pero estoy envalentonado; no tengo otro remedio que estarlo.

–Ni siquiera tienes nombre. ¿Recuerdas? Te presté el mío. ¿Quién eres?

–Miguel...

–¿No será que te estoy imaginando? Por eso sabes lo que pienso. ¿Al fin me he vuelto loco, como todos decían?

–Miguel...

–Culpa mía, por interrumpir la medicación. Ya me advirtieron...

–¡Miguel! –me corta, dueño de rabiosa autoridad. Acerca su cabeza a la mía, abriendo la boca perfumada de licor en una amplia sonrisa que ahora me parece de satisfacción, antes de decir muy despacio, regodeándose con las sílabas:

–El que no existe eres tú.

No puedo evitar mirarle divertido. ¿Ah, no?, me dan ganas de chillarle. Entonces ¿por qué me entra arena mojada en los bolsillos?

Me dedica su paternalista rictus de conmiseración; parece inesperadamente conmovido, solidario conmigo. Apoya una mano sobre mi hombro, apretándolo, y me sacude el cuerpo con suavidad.

–Pobre Miguel... Mi pobre Miguel... No puedo evitar quererte. Más que quererte... ¡Te amo! ¡Te amo más que a nadie! Es importante que lo tengas claro. Anda, ven conmigo.

Y se pone en pie con mucho trabajo, apoyándose en mí. El alcohol entorpece su agilidad; difumina la nitidez de su mirada pero no la resolución que se adivina tras ella. Es nuestro primer contacto físico real. Antes lo tuvimos únicamente a través del vidrio de la botella 0'0 en el puerto, o del cartón de la portada de tu libro, cuando me lo prestó o se lo devolví. Su manifiesta debilidad física despierta mi ternura. Puede que influya su absurda y apasionada declaración de amor. ¿Por qué habría de quererme más que a nadie? Amarme. Ha utilizado esa palabra, cuando lo conozco hace apenas unas horas.

Me incorporo tras él, y noto mi propio agotamiento; todas las tensiones de uno, dos o no sé ya cuántos días han caído sobre mí de repente, ahora y aquí, sentado ante este mar que parece real pero en cualquier momento podría convertirse en otro escenario, otra ficción engañosa. Ahora que te has ido solo deseo descansar, quitarme la ropa sucia, darme un baño caliente antes de caer sobre la cama... Tu ausencia me provoca un repentino deseo de dormir para siempre, cubierto hasta la cabeza por el sudario de las mantas.

En pie los dos, parecemos dos viejos borrachos frente a frente, aunque yo esté sobrio. La palabra «viejo» me golpea, percibo el espanto que encierra en toda su magnitud. Alguien me explicó que sentirse viejo por primera vez es uno de los momentos más tristes y terribles en la vida de cualquier persona. Él mismo, quien me lo dijo, era un viejo. ¿Quién fue?

–Tu padre –interrumpe Miguel mis pensamientos.

¿Mi padre? Trato de dar rostro a ese concepto pero no puedo. Su cara me está vetada. Busco ayuda en Miguel.

–Y de tu madre tampoco te acordarás, por mucho que lo intentes... ¿En qué has pensado desde que huiste, o huimos? Tres cosas, deja que las enumere: Amparo, el alcohol y Nocturno. Los pilares de tu vida, lo han sido siempre. Todo lo demás se ha ido, ¿cómo decirlo? Disolviendo... A medida que las neuronas mueren, el cerebro se vuelve más débil, y es capaz de almacenar menos información. Mantienes vivos esos tres conceptos. Pero no ves a tu padre ni a tu madre, no puedes recordarlos. Están entre tus neuronas muertas, encarcelados en ellas. Si te preguntara ahora en qué ciudad del norte naciste serías incapaz de contestarme. Tus neuronas, mi pobre Miguel, no dan ya para nada. Son cada vez menos numerosas. Soldados sitiados, sin munición ni esperanza. Se agarran a lo poco que les queda, el recuerdo de la escasa y vieja felicidad que se te escapa entre los dedos: Nocturno, el alcohol y Amparo. Sobre todo, Amparo. La muy cabrona no ha dicho una palabra de ti en su libro, supongo que te has percatado. Y ni siquiera te reconoció al verte.

Me irrito, me enfado... Pero guardo silencio. Tiene razón.

–Dime... ¿En qué fecha conociste a Amparo? ¿Eres capaz de recordarlo?

–Por supuesto. En la cafetería de la estación de Atocha, el año 2004. El 14 de marzo, al poco de los atentados de Madrid. Una fecha negra fácil de recordar. Lo cuenta ella misma en la despedida que me mandó.

–El día lo sabes por la carta de Amparo. Solo por eso. Si no la tuvieras no recordarías nada. Neuronas muertas, Miguel. Su carta. Eso es lo único real de tu memoria. ¿Te lo demuestro? Venga, contéstame a esto otro: ¿sabes cuándo se fue Amparo? Esa fecha no está escrita en ninguna parte. ¿Eres capaz de recordarla?

Ahora soy yo quien siente odio. Respiro jadeando, tenso y alerta. Él, en cambio, parece relajado.

–¿Mmmm? –ataca de nuevo, y me concede el tiempo que le lleva dar otro trago de la botella–. La fecha. Me conformo con la fecha.

¿Qué día te fuiste, amor? Te sigo llamando así a pesar de que ya no estés, y aunque debería detestarte. ¿Cuándo? Tras el *gran instante negro*, al poco de aquella navidad maldita. ¿El año 2012? ¿El 2013? Las fechas, algunas fechas, demasiadas fechas, flotan entre nubarrones oscuros.

–Frío, frío, Miguel... Ni 2012 ni 2013... Ven, ven conmigo...

Me tiende la mano, otra vez insoportablemente paternal. La rechazo, puedo ponerme en pie sin su ayuda.

–El alcohol es como llevar una rata rabiosa en el bolsillo –recita Miguel tras dar el último trago; esa frase es mía, la reconozco en el acto–. Lo escribiste tú, ¿recuerdas? En alguna servilleta perdida, sobre la barra de cualquier bar. Cuando no bebes, la rata está en reposo; duerme, aunque escuches sus ronquidos asquerosos, su respiración al acecho. Pero cuando bebes despierta. De repente, cuando menos te lo esperas. Y te muerde, ¿eh, Miguel? Pero tú, anestesiado como estás, no descubres las mordeduras hasta el día siguiente, cuando abres los ojos en un mundo puesto del revés. Piensas que es noche cerrada y descubres que luce el sol. Otras veces, en cambio, sí que es noche cerrada. Pero siempre tienes miedo al despertar. Cuando te preguntas: ¿habrá mordido la rata a alguien más? Etcétera, etcétera.

Se queda mirándome como un actor tras su monólogo, y arroja lejos la botella vacía. Me desorienta que mis recuerdos parezcan archivados en su memoria. Escucho el impacto sordo del vidrio contra el agua, en algún lugar de la oscuridad. Miguel ha sacado otra botella. También alcohol transparente, vodka o ginebra.

–¿Recuerdas cómo era beber al principio? ¡Ser el amo del mundo! O sentirlo, que para el caso... Lo probamos juntos, de adolescentes, en esa ciudad que ya no puedes ni recordar. Y de jóvenes luego, en Madrid. Siempre juntos tú y yo. Cuando empezaste a dibujar, cuando te enamoraste de Amparo y la espiaste hasta lograr conocerla.

Trato de mantener la mente en blanco. ¿Fuimos amigos en otra época, amigos íntimos? ¿Le confié los trucos que utilicé para conocerte?

–Al principio, lo reconozco, era yo quien no existía –continúa–. Fui surgiendo poco a poco, a medida que el alcohol conquistaba terreno en tus tinieblas mentales. Ibas dejando de ser tú, y en paralelo yo iba asentándome con más fuerza, viviendo. Y vine para quedarme definitivamente, podemos decir que nací, el día de tu *gran instante negro,* Miguel. ¿Qué te parece este móvil? ¿Te gusta?

Sostiene en la mano un teléfono antiquísimo, un armatoste de principios de siglo. Con movimientos mecánicos, sin dudarlo, insospechadamente hábil a pesar de su borrachera, marca un número y me lo muestra en la pantalla iluminada.

–¿Recuerdas este número? –la pregunta suena agresiva, airada; como si nos hubiéramos trasladado a una sala de interrogatorios, y hubiera perdido todo ese amor por mí que hace un momento declaraba.

–¿Lo recuerdas o no?

La pantalla del móvil parpadea. En circunstancias normales nunca lo reconocería, ni ese ni probablemente ningún otro del pasado, pero hace apenas unas horas, al rememorar mi *gran instante negro,* me he visto con un teléfono igual en la mano, puede que el mismo modelo, puede que mi modelo de entonces, cuando aún tenía teléfono. Me he visto dudando entre pulsar la tecla de llamada o no. El número de la mujer misteriosa en aquella Navidad fatídica. Tiene que ser Petra. La rubia a la que abrazaba Miguel, a la que golpeó en plena calle, delante de todos. La mujer por la que quiere vengarse de Amparo y de mí. ¿Sabrá ya que te has ido, amor? ¿Que has escapado y estás fuera de su alcance? Tiene que saberlo, puesto que conoce todo lo que hay en mi cabeza. Sin embargo, se encuentra tan distraído con el móvil, ensimismado en su furia creciente hacia mí que tal vez... Me alegra que no me dijeras tu destino. Así no podré pensarte allí, así no le daré esa información con la que podría ir a buscarte.

–Te recuerdas a punto de marcar este número, ¿verdad? –insiste Miguel. Asiento para no pensar en ti, para darte más tiempo de escapar y regalarte eso al menos–. ¿Y qué decidiste por fin? ¿Qué hiciste? Hay que ser responsables con nuestros propios actos. Por aquella décima de segundo te encuentras aquí ahora. Nada es gratis en el infierno.

–No pulsé la llamada.

–¡Exacto! En cambio llamaste a Amparo, arrepentido como un débil mental, como un cobarde, sin pensar un instante en mí –escupe con furia.

Está loco, es obvio. Instintivamente calculo sus fuerzas y las mías, por si tuviera que luchar con él. Es un error, porque lo capta. Me mira con desprecio, con frío sadismo; se sabe más fuerte que yo por razones que desconozco. Tiene un as en la manga. ¿Cuál?

–Pero conseguí lo que quería –le gusto–. Amparo me dio otra oportunidad de reconciliarnos.

–Sí. De contarle qué pasó desde aquel 22 de diciembre, cuando saliste airado de la consulta del psicólogo amigo suyo. Admitiste que habías bebido, que todo fue un error, que lo lamentabas, que no se repetiría... ¿Verdad?

–Le pedí perdón, le dije que no volvería a ocurrir. Y era sincero.

–Solo a medias. No le dijiste nada de Petra.

–¡Ni siquiera sé quién es! –le respondo, harto. Voy a enfrentarme definitivamente a él, pase lo que pase.

–Claro que lo sabes. Lo que ocurre es que te da miedo buscar en tus neuronas, ¿eh? Ven, yo te ayudaré. ¡Fíjate!

Su mano salta de repente, me agarra del cuello forzándome a doblarlo. Su primera agresión explícita. Es más fuerte de lo que parece. O yo más débil de lo que pienso. Me coloca delante de los ojos el móvil y pulsa la tecla de llamada.

Aguardamos mientras la pantalla parpadea durante el intento de conexión. Son unas décimas de segundo humillantes, con la cabeza gacha, inmovilizada. Al poco, una voz metálica resuena en el silencio:

«El número marcado no existe».

Miguel me mira con indignación, con odio, como si yo fuera el culpable del fracaso. Por un instante pienso que me va a estrellar el móvil en la cara, pero se limita a liberarme con un gesto brusco, como si le asqueara mi contacto.

–He oído este mensaje un millón de veces. El mismo una y otra vez, desde hace tanto que ya ni me acuerdo. La gente frágil suele cambiar de móvil, no sé si lo sabes. Lo pierde o se lo roban, o se van a vivir a otro sitio y lo dejan olvidado, yo qué sé. A Petra le pasó algo así, seguro. Con su carácter, es bien lógico.

La voz de la operadora parece haberle infligido un dolor casi físico. Puedo imaginármelo a solas con su obcecación de alcohólico, marcando una y otra vez el número para oír invariablemente la misma respuesta. Castigo y odio, más castigo. Un número de teléfono inexistente convertido en el látigo de la flagelación.

–Una llamada, una simple llamada, fue la tragedia. Llamaste a Amparo en vez de a Petra. Eso lo jodió todo, eso te convierte en culpable. Fue la separación de nuestros caminos, querido Miguel. La causa de que estemos aquí ahora, con la venganza a punto de caer sobre nosotros. Aquel día de Navidad, ¿acordamos llamarlo fatídico? Sí, es una buena definición; fatídico para todos. Aquel día de Navidad, con toda tu horrenda resaca a cuestas, te lo pasaste llamando a Amparo cada diez minutos, angustiado al comprender que había descolgado y no quería hablar contigo. ¿Fue así o no?

–Fue así.

–Claro, tú recuerdas la parte bonita, la romántica. El gran pecador arrepentido llamando a su amada para pedir perdón. Y ella haciéndose la dura... No aceptó verte hasta pasada una semana, ya el segundo o tercer día del año nuevo. ¿Sí o no?

–Sí –tengo que admitir. Ya no me pregunto cómo sabe los detalles.

–Exactamente el día 3 de enero. Y mientras, ¿qué hiciste? No lo recuerdas, ¿verdad? Borrado también de tus recuerdos...

Nunca he sabido, no sé ahora, qué hice entre aquel 25 de diciembre de, ¿cuándo? ¿2012, 2013?, y el 3 de enero del año siguiente, fuera el que fuera. Es verdad, está borrado.

Miguel se aproxima, satisfecho de su superioridad. Por un instante pienso que va a golpearme; pero luego, casi en el acto, sonríe otra vez. Su furia, o su capacidad de contenerla, sube y baja como las olas que mueren a nuestra espalda. Muy despacio, sin dejar de retar en ningún momento con sus ojos a los míos, eleva ante mí la botella nueva.

–Bebe –ordena suavemente–. Es néctar de memoria, cabrón. El néctar de la verdad.

Niego con la cabeza. No estoy tan loco para...

–¿Qué más te da? Amparo se ha ido para siempre. Sin explicarte sus razones. Pero si bebes las entenderás, te lo prometo.

Negarme es un acto reflejo que ejecuto maquinalmente, con más firmeza a medida que, dentro de mí, la sed crece y reblandece la resistencia, tentándome con la pregunta obvia:

¿Qué más me da, ahora que Amparo se ha ido?

–No. Gracias –logro decir a este demonio.

–Como prefieras –renuncia a insistir–. No te preocupes, ya querrás luego.

Enfila un sendero de arena y tierra, hasta los escalones que suben hacia la que hoy ha dejado de ser tu casa. El edificio permanece a oscuras, como una masa de sombra informe recortada contra la noche clara.

Le sigo. No sé si porque sospecho que va a hablarme de esa verdad que mi mente veta, o porque mi sed quiere otra oportunidad y sabe que con él la tendrá.

–Aquella última semana del año –me explica– fue la más feliz de mi vida. Curioso, ¿no? Tu *gran instante negro* fue mi *gran instante blanco,* junto a Petra. Exactamente los mismos días, entre la borrachera y la reconciliación entre Amparo y tú...

Haz un esfuerzo, recuerda... Es cierto que no pulsaste el botón de llamada. Pero también lo es que, irritado porque Amparo no te llamaba, seguiste bebiendo. Fue tu venganza, tu desquite absurdo de borracho que en cualquier cosa encuentra motivo para seguir bebiendo. Te lo exigían tus células secas y también tus neuronas airadas. Por esa época, superado un número de copas, perdías la noción del tiempo, y también te ocurrió aquellos días. Cuando estabas medianamente lúcido, por la mañana, te debatías entre los horrores de la resaca y, mientras, llamabas al teléfono de Amparo, que seguía bloqueado. Pero luego, a medida que ella no respondía y tu sed comenzaba a acuciarte, empezabas a beber. En aquella época lo hacías compulsivamente, con un tesón casi suicida que no te explicabas. Ahora entenderás la causa.

Llegamos ante el cierre metálico del garaje, y Miguel lo alza con sorprendente energía, aunque solo hasta la mitad. Lo suficiente para que yo vea que detrás se halla, de nuevo, el bar llamado Slogan. Es Miguel quien crea estos espectros a los que no me puedo sustraer. ¿Querría, de poder hacerlo?

El susurro del mar ha cesado a nuestra espalda. Deberían escucharse los ruidos nocturnos de la ciudad. Pero solo hay silencio, incertidumbre por lo que pueda aguardar en el interior.

–Aquella semana viniste al Slogan todas las tardes. Y te quedabas hasta el alba. No lo recuerdas, ya lo sé. La mente es capaz de negar aquello que le disgusta, borrarlo. Pero en este caso, yo tengo mucho que ver en el hecho de que no recuerdes.

Miguel empuja la puerta y me invita a pasar. Encorvo la espalda, en guardia como si me colase en la guarida de un animal salvaje. Siento su aliento en la nuca, acelerado por la excitación del alcohol, que bombea presión a su ritmo cardíaco.

El bar está solitario y oscuro. Su decoración de negro sobre negro, ideada para ocultar la falta de medios y los desconchados de la pared, acrecienta la sensación de clandestinidad desasosegante. De no ser por los tenues señalizadores luminosos de la salida, nos moveríamos entre sombras inescrutables que a veces, de repente, parecen cambiar de postura. En alguna parte, una gota resuena con regularidad metálica. Es el grifo de cerveza mal cerrado sobre el fregadero, la única alteración del silencio aparte de la respiración de Miguel. ¿O es la mía?

Al fondo, procedente del saloncito interior, se distingue una luz azulada como un faro en la niebla.

–¿Sabes que todos tenemos un escenario crucial, el más importante de nuestra existencia? Lo que pasa es que casi nadie se para a pensar en ello. Déjalo, es una vieja idea mía, una tontería. El caso es que este es el escenario de nuestra vida, Miguel. El de la tuya y el de la mía. Aquí, en este lugar –y da un golpe seco sobre el mostrador de metal plateado–, se decidió lo que iba a ser de ti y de mí. No lo decidió nadie concreto, simplemente ocurrió. Todo es porque sí, sin razón lógica.

Miguel agita la cabeza, otra vez comprensivamente, como si yo fuera tonto.

–Sigues sin verlo, o sin querer verlo. ¿Qué te dije hace un rato? Lo más importante que habías de tener en cuenta. ¿Qué era?

Su idea absurda de que no existo. Grotesco, ni siquiera merece respuesta.

–Exacto –recalca él sonriendo–. No existes. Aunque por muy grotesco que te resulte, lo cierto es que es verdad, puede decirse que lo es. El que existe soy yo. Cuanto antes lo admitas mejor. Yo, el que se halla dentro de tu cabeza, dando órdenes a tu cerebro. Yo, el que –eleva la botella, listo para otro trago– surge cuando el alcohol entra en este cuerpo que compartimos. Somos dos, Miguel. Dentro de un cuerpo que a veces diriges tú y a veces este bebedor insaciable... según el combustible que le suministremos, según el alcohol que trasiegue. No te sorprendas. Le pasa a mucha gente, aunque todos traten de ocultarlo como si fuera un crimen horrible.

Mientras bebe pienso en huir, a pesar de que no tengo adónde. Por otro lado, con Miguel me encuentro a salvo. Tiene lógica. No haría daño al cuerpo que en su delirio cree suyo.

–Química, sentimientos, alcohol... Nuestro cuerpo contiene dos biografías. Tú naciste cuando naciste, en tu fecha oficial, esa que todas las personas tienen. Pero yo llegué a este mundo después, el día que tú comenzaste a beber. Se puede decir que nací con tu primer trago, allá por la adolescencia. El primer vino que tomaste con tus amigos podría equivaler al momento de la concepción. El espermatozoide que llega sano y salvo a su destino, y allí fecunda la vida. Me amamantaste con la cerveza y el vino de tu juventud, cuando todavía soportabas la bebida y ella te hacía razonablemente feliz. Debo de tener, por tanto, unos quince años menos que tú. Aunque me veas más viejo. Pero este cálculo, por supuesto, es un despropósito. No sirve. El cuerpo es uno y el mismo, somos una especie de santísima trinidad en versión sencilla, un simple dúo sin santidad alguna... ¿Qué te hemos parecido hace un momento? Dos viejos borrachos frente a frente, buena definición... Tú, Miguel Ariza, el joven y ambicioso aprendiz de dibujante con grandes ideas de futuro; y yo, el otro Miguel Ariza, el Miguel agazapado que solo podía manifestarse un poco, apenas nada, cuando habías bebido de más, lo que al principio ocurría bien pocas veces. Controlabas y dominabas, a todos los borrachos les ocurre cuando son jóvenes y fuertes. Piensan que será así siempre. Tú, el tú por entonces real, todavía el existente, estabas a la vista de todo el mundo, ocurrente y dichoso, y a mí se me dejaba salir en contadísimas ocasiones. Pero anhelaba ser libre.

Quería mostrarme, mandar cuando me correspondiese sobre el cuerpo que monopolizabas. Al principio parecía un sueño imposible, como si hubiera que atravesar la eternidad para llegar a él. Sin embargo poco a poco, gota a gota y vaso a vaso, la balanza se fue inclinando a mi favor. Como a todos los bebedores, el alcohol te fue venciendo, empezó a sentarte mal, a crearte problemas... Mientras, yo me sentía mejor y más fuerte. La bebida, aparentemente, liberaba tu mente y disolvía tus prejuicios, pero lo que de verdad pasaba era que yo surgía, libre e indómito, sin reglas ni prejuicios, sin beaterías de moralidad blanda. Todo eso quedaba para ti en las resacas, en los amaneceres durante los cuales yo dormía oculto en tu interior, a salvo de los reproches de los demás y de los tuyos propios. Esos tormentos te pertenecían en exclusiva. Con los años fui creciendo, haciéndome el amo, tu amo. Todo el tiempo deseaba estar fuera... ¿Qué me importaba tu afán de llevar una vida digna y positiva? ¿Qué más me daban tus planes de gloria como dibujante, o tus amores con Amparo? Esa mujer, entérate ya, fue siempre mi enemiga más odiada. Influía realmente en ti, sus sermones para que dejaras de beber te hacían mella debido a lo ridículamente enamorado que estabas. Si te lo pedía, hincabas la rodilla en tierra para arrepentirte. Renunciabas a beber apenas amenazaba con largarse. Y a mí, en esos lapsos, me volvías a encerrar en la mazmorra, a sufrir en silencio y oscuridad. Cuánto odié a Amparo. Casi con la misma fuerza con que tú la amabas. Un auténtico dilema. A veces me debatía y lograba surgir, furioso y malvado por el encierro. Todo tu círculo se extrañaba, recuérdalo, de que dos copas te volvieran agresivo y casi perverso. Nadie imaginaba que era mi cólera desatada la que provocaba las metamorfosis. Resultabas, o resultaba yo, insoportable, voluble, caprichoso, malo... y la gente comenzó a alejarse de ti. Perfecto, pensaba yo. No los necesitaba. Cuando mejor me encontraba era en tu casa, en tu estudio de dibujo, solos tú y yo, o solo yo en tu cuerpo. Te encerrabas con bebida para dibujar, pero enseguida empezabas a beber en desorden, sin más reglas que las de tu sed en supuesta vena creativa. Creías que era una forma bohemia, hasta romántica, de expresar tus sentimientos a través de los dibujos. No sospechabas que enseguida yo camparía a mis anchas. ¿Adónde vas?

–Me largo –le digo camino de la puerta. Me duele la cabeza y siento taquicardia, opresión en el pecho como si el corazón tuviese puños y me golpease para salir.

–No tienes donde ir, creí que lo habías comprendido. No puedes irte sin oír todo lo que tengo que decir. ¿Qué pasó aquella navidad fatídica en que no pulsaste la tecla de llamada? Muy simple. Yo también me había enamorado. Aquí, en este bar sucio y maloliente, en este antro inmundo, encontré el amor. Petra, mi vida y mi felicidad para siempre... ¿A quién puede amar un monstruo sin otra moral que la propia felicidad? Es obvio, a alguien como él. Un alma gemela. Las bestias también la tenemos. Nuestra media naranja podrida. Petra era así... Cuando aquel 22 de diciembre entraste en el bar que ella regentaba por entonces, es decir, este local, tú ya eras yo, yo era ya tú. Habías bebido por la tarde, tras sentirte dolido y humillado en la consulta del psicólogo. Tu odio al médico te lo insuflé yo, que ese día ansiaba despertar con particular fuerza. Te hice beber, lo que no fue difícil; tenías una predisposición especial. Siempre la has tenido. La tienes ahora mismo. Aquel día tomé sin esfuerzo las riendas de nuestro cuerpo. Bebido, vagabundo por las calles, acabaste por entrar en el Slogan. No recuerdas nada de lo que aconteció aquí, en ese saloncito interior con mesas, sé que tu memoria lo ha olvidado. Pero Petra y yo simpatizamos en el acto, y esa noche, cuando cerró, fuimos de copas por Madrid. Los dos conocíamos, cada uno por su lado, los mismos tugurios. Se fortaleció nuestra simpatía, el amor que ya estaba naciendo. Al amanecer, decidimos regresar al Slogan. Nos besamos delante del cierre metálico, rijosos y tambaleantes, divertidos por las caras de reproche de los transeúntes pulcros que a esa hora se encaminaban al trabajo.

–¿Te refieres a cuando le pegaste el puñetazo?

–¡Sabía que te impresionaría! Ese estallido de violencia, tan nítido en mi recuerdo, estaba anclado también en tu mente, oculto. Para ti, cualquier acto de violencia era odioso y atroz. En cambio para mí, dependía; podía serlo o no. Tú te habrías retraído, como tantos otros, ante una mujer con imparables impulsos masoquistas. Petra los tenía, y de qué maravillosa manera. Se asumía, era inmensamente feliz en su búsqueda del dolor. Me declaró su amor suplicando un castigo físico a pleno sol, en un lugar público. Aquel puñetazo fue nuestra pedida de mano, nuestro anillo de compromiso. Todos somos sádicos o masoquistas, todos llevamos dentro un porcentaje variable de alguna de las dos tendencias. Los que no lo asumen se ríen de ello, o se escandalizan. Para no enfrentarse a la verdad, formas de autodefensa. Los que lo asumen, en cambio, pueden encontrar la felicidad. Yo no sospechaba que dentro de mí había un sádico hasta que Petra me abrió ese universo de sensaciones y sentimientos. Sí, sentimientos. Amor deseado en esa peculiar expresión por ambas partes. Petra y yo, ya la primera noche, fuimos amantes gloriosos. En ese saloncito nos atacamos con ferocidad, hambrientos el uno del otro, animales furiosos y obscenos. No se puede oponer moral alguna al deseo sexual auténtico. No se debe. Y tú, amigo mío, tú estabas ahí, aquí. Fue tu cuerpo el que disfrutó, aunque con mi mente impulsada por el alcohol. Dos días salvajes, con sus noches y sus amaneceres. Ya sé que no recuerdas, tu mente está en blanco hasta el despertar del día de Navidad, confuso y resacoso, dolorido y con manchas de sangre en la camisa. Era sangre de la nariz de Petra, sangre inocente y limpia, sangre plena de vida. El día que Amparo se pasó toda la noche mirándote, comprendiendo que tenía que dejarte y olvidarse de ti. Esa es la verdad. Y lo sabes. No olvides que somos el mismo, podemos mentirnos a nosotros mismos solo hasta cierto punto. Tu adorada Amparo, esa mujer que tanto amas, se convirtió esa noche en mi peor enemiga. Me odiaba, odiaba al borracho que había en ti. Y yo, por mi parte, odiaba sus sermones sobre vuestra felicidad y vuestro futuro, sus intentos de que me emparedaras para siempre. Gracias a Petra, tuve una razón para contraatacar, y lo hice con todas mis fuerzas. Yo sabía que la duda, Miguel, era tu peor tormento durante los despertares. Y la duda sería mi estrategia, mi arma. Aquella mañana fatídica Amparo te dijo que había pasado algo terrible. Yo también estaba allí, no lo olvides. Un hecho terrible que eras, y sigues siendo, incapaz de recordar, de visualizar. ¿Cuántas veces te has martirizado con ello?

Mi silencio es explícito: muchas.

–Un hecho del que solo tuviste noticia porque Amparo te lo dijo después, cuando te concedió que la vieras en el parque del Retiro. ¿Cierto?

–Cierto.

–¿Y cuál fue ese hecho, Miguel? ¿Qué te contó? ¿Qué ocurrió entre vosotros, tan grave?

–La golpeé –susurro desviando la mirada, avergonzado–. Eso dijo.

–Más alto. Confesar purifica.

–¡La golpeé! –levanto la voz, clavándole la mirada. Odio a Miguel. Y me odio a mí por la simple mención de aquel maltrato a tu persona.

–Eso fue lo que Amparo dijo, ya lo sé. Que la maltrataste. Pero no es exactamente cierto. Fui yo quien pegó a Amparo. Mi cerebro. Tu puño.

Noto en su mirada que no miente, ni bromea.

–No tuve otro remedio –continúa, completamente serio en su disparatado delirio. Lo peor es un loco que se cree la realidad falsa que ha imaginado. Algunos llegan a matar por ello–. Fue una cuestión de supervivencia. La situación era idónea, fruta madura para librarme de la maldita Amparo. Vi en sus ojos aquella noche, mientras ella y yo discutimos y tú dormías, que iba a ser más poderosa, que antes o después lograría volverte abstemio. Vi que acabaría por convertirte en una persona de provecho, dedicado en exclusiva a ella y a tus dibujos. Y vi también mi futuro. Si entre los dos me encerrabais, ¿qué sería de Petra y de mi amor por ella? ¿Qué pasaría con nuestra felicidad? Conocía muy bien a Amparo, la conozco muy bien. Muchas veces, cuando el punto de alcohol se hallaba con un pie en mi frontera y otro en la tuya, era yo quien estaba con ella, quien compartía las conversaciones y los encuentros, quien le hacía el amor. Sabía, sé qué clase de mujer era y es, resuelta y de ideas claras, valiente. ¿Toleraría el menor maltrato? Sin duda no. Y cuando lo vi claro, levanté la mano y la golpeé. Una sola vez. No hizo falta más. Se hizo un silencio sepulcral entre nosotros, y me refugié en el taller para seguir bebiendo; lo hice hasta que caí vencido. Y ya a la mañana siguiente eras tú, al despertar, quien se hallaba frente a ella. Amparo, desolada por tu maltrato. Y decidida, por supuesto, a dejarte. A dejarme en paz de una puta vez.

–Cabrón...

–Qué quieres... No hice nada que no hubieras hecho tú con el número adecuado de copas encima –se encoge Miguel de hombros.

–Destruiste mi felicidad...

–Era la tuya o la mía. Pero no fue una victoria fácil. Aún tuve que emborracharte más, o emborracharme; seguir irritando a Amparo, que todavía luchó un tiempo, después de la Navidad fatídica, para que dejaras de beber. Ya ves, al fin y al cabo algo debías de importarle entonces. Y tú la escuchabas, luchabas con ella. Hube de esforzarme para vencer.

–Destruiste mi felicidad de años solo por...

–No –interrumpe Miguel.

–¿No? ¿No la destruiste?

–No fue de años –Miguel inspira y me mira con gravedad, creo que también con lástima–. No eres quien crees, ya te lo advertí. No existes... Te vuelvo a preguntar lo de antes: ¿cuánto duró tu relación con Amparo?

–Empezó en 2004...

–Me refiero al final. Contéstame a esto, si puedes: ¿cuando concluyó?

¿Adónde quiere llegar? ¿Qué truco esconde? Guardo silencio, expresándole mi desconcierto sin poder evitarlo. Miguel sonríe con tranquilidad absoluta. Comienzo a inquietarme. Y él sigue sonriendo. Me altero, a merced de una amenaza que no acabo de localizar con precisión, con mi mente en blanco. Y él no para de sonreír, expectante.

–No estoy seguro del año –reconozco–. 2012 o 2013, la Navidad de 2012 o de 2013. Ocho o nueve años, dependiendo de...

–Mentira –me corta Miguel.

Me interrumpo. Algo va mal.

–Pobre mente humana, desvalida y cobarde... Y a veces, en cambio, qué capacidad de lucha es capaz de mostrar. Conociste a Amparo tal y como cuenta ella en su carta, eso es verdad. En marzo de 2004. Hasta ahí todo en orden. Pero la navidad fatídica no fue la de 2012 ni la de 2013, Miguel, pobre Miguel, sino la de ese mismo año 2004. Apenas estuvisteis juntos unos meses. Hace once años que vuestro breve y desastroso idilio empezó y terminó.

¿A qué viene esta broma absurda?

–Amparo, hace un rato, quedó asombrada, asombrada de verdad, por tu aparición. Una sombra del pasado. Tardó en ubicarte, créeme que era sincera al no reconocerte, Miguel. No fuiste importante nunca, Amparo jamás te amó. Fuisteis amantes unos meses, hasta que ella se hartó de tus excesos con el alcohol. Entonces ya eras un borracho incurable. Pobre Miguel, desvalido y cobarde pero sin capacidad de lucha, justo al revés que la mente humana... Incapaz de enfrentarte durante tanto tiempo a la verdad. Vuelve a leer esa carta que te sabes de memoria. Amparo se hallaba en la cafetería de Atocha, aquel día de marzo, esperando a otro del que tal vez sí se había enamorado, o intuía que se podía enamorar. Y como no apareció, se dejó llevar por tu presencia. Probó, a ver qué pasaba... Para su espíritu aventurero eras una opción que había que experimentar. Tal vez pudo pensar que el otro, el que no volvió a aparecer, había sido un puente levantado por el azar para conducirla hasta ti. Y es cierto que le divertiste un tiempo, con tus historias de cómic y superhéroes raros. Pero en cuanto detectó que bebías demasiado, cosa que hizo enseguida, se libró de ti. No dudes una cosa: lo último que Amparo podía esperar, embarcada en este proyecto de fingir su propia muerte y emitirla en directo por televisión, era que apareciese un antiguo novio, borracho y demente, diciéndole que siempre la había amado.

–Pero yo siempre la he amado. Es verdad.

–Tú sí. Claro que siempre la has amado. Amparo Sanz Valles, con la que una vez tuviste una fugaz relación, fue lo mejor que te ha pasado en la vida. ¿Cómo no ibas a amarla? Y has seguido adorándola para sostenerte mínimamente en pie. Aunque no lo hayas conseguido.

Miguel está logrando aturdirme. Me gustaría que regresaras un instante de tu travesía hacia ese mar secreto para decirle a la cara que miente, que el loco es él.

Pero no vienes.

–Ni vendrá... Amparo captó rápido nuestros defectos, Miguel. Una mujer muy lista, muy lista; para según qué gustos, demasiado. Y la culpable de todo. La culpable de que yo perdiese a Petra. En la primavera de 2005, durante un último intento de curarte, algo a lo que generosamente Amparo colaboró, me jodisteis la vida para siempre. Aceptaste ingresar en un centro de desintoxicación, acuérdate. Una cárcel atroz con hilo musical, donde médicos encantadores y carísimos me torturaron, trataron de hundirme y asesinarme. Encerrado dentro de ti, mientras los médicos, tú mismo y por supuesto Amparo considerabais un logro cada día que nuestro cuerpo no ingería alcohol, yo me retorcía en la soledad pavorosa de la abstinencia, sin nadie con quien hablar, a oscuras, sin esperanzas. Sin Petra, lejos de Petra y de poder explicarle por qué, de pronto, desaparecí sin dar explicaciones. Al tercer o cuarto día del ingreso, cuando tu abstinencia y los tranquilizantes que tomabas fueron mellando mi resistencia, me sumí poco a poco en una oscuridad de muerte, de olvido sin retorno. Y desperté muy lentamente, como el que resucita. En el instante de aquel regreso a la consciencia paseabas por la calle, un día soleado. Estabas curado. Amparo se mostró satisfecha. Cabía la posibilidad de otra reconciliación, y luché contra esa terrible posibilidad. Me manifesté con un cosquilleo en el estómago, convoqué con todas mis fuerzas a tu sed de alcohol. Un sorbo llamaría a otro, y este a la primera copa, que a su vez traería más. Necesitaba forzarte a ese primer sorbo para volver a la vida... La gota de sangre que regenera al vampiro muerto. Pero resistías con tesón, y yo me hallaba tan débil... Pensé en Petra para reunir nuevas fuerzas. ¿Dónde estaría? ¿Qué habría pensado de mi ausencia? La última vez que estuvimos juntos nuestro amor era hermoso y vibrante, no parecía posible que ninguno de los dos fuese capaz de renunciar a ese paraíso. Pero yo, aturdido en este despertar, ni siquiera sabía el tiempo transcurrido desde ese último encuentro, ni cuánto llevabas tú ingresado, sin beber. El amor perdido me dio tanta desesperación que logré despertar tu sed. Aquel día, era media mañana de cualquier día de otoño, la tentación de beber una cerveza fue demasiado grande. Y la bebiste. Aquel primer sorbo te llevó a una recaída feroz. Los médicos, como Amparo, no entendieron cómo se produjo con tanta intensidad, ni imaginaron que una causa de vida o muerte me forzaba a mí a luchar por salir al exterior. Estuviste desaparecido los tres días que dediqué a buscar a Petra. Fue terrible verificar que había dejado su trabajo en el Slogan. Era una empleada ocasional, llevaba dos años yendo y viniendo. Normalmente, se dedicaba a vagabundear por España, y alguna vez por Europa. Cuando se dejaba caer por Madrid, aparecía por el bar pidiendo trabajo, y así se mantenía mientras permanecía en la ciudad. Sin embargo, llevaba tiempo sin dar señales de vida. Me dieron algunas pistas: un teléfono, la dirección de una amiga. Su amiga me dijo que volvería, que siempre volvía. Pero podían pasar meses, habían transcurrido varios desde que la vi por última vez. En cuanto sostuve tus riendas a través de aquellas copas, averigüé que estábamos en octubre de 2005. ¡Hijos de puta! La última vez que estuve con Petra había sido en marzo, o abril, justo antes de la clínica. Su ausencia provocó lo que tenía que provocar... Ya sabes lo que pasa cuando el deseo se vuelve obsesivo. Puede volverte loco. Matarte o empujarte a matar, como ha hecho conmigo. No me mires así, es la verdad... Me ha empujado a matar. Mis impulsos son mucho más simples que los tuyos. Al ser un hombre oculto, o camuflado, o como lo quieras llamar, mis anhelos y esperanzas, mis querencias, son más limitadas y primitivas, aunque por lo mismo más intensas: el alcohol, Petra, el dibujo... Porque yo también era feliz dibujando cuando ocupaba tu lugar, no pienses lo contrario. Historias de Nocturno en las servilletas de los bares. El alcohol, dibujar y una mujer... Igual que tú. Lógico. Soy tú.

–¿Te ha empujado a matar?

El miedo me ha dado fuerza para interrumpirle.

Lleva un rato hablando ensimismado, como si estuviera contando las peripecias de su triste vida al único amigo que le queda. Pero la palabra *matar* ha venido a variar el matiz del discurso.

Vuelvo a ver en primer plano la mancha de sangre en su ingle, que ahora mismo, en este instante, sigue goteando. Rememoro su acecho constante a mi persona, y sobre todo el momento en que lo descubrí espiándote con los prismáticos, mientras aguardabas a pie de playa. ¿Antes de mí, después, a la vez? Me cuesta ubicar con exactitud las escenas que he vivido, y también a sus protagonistas. El médico me dijo que esta medicación era muy efectiva, como si pusiéramos algodón alrededor de los pensamientos. No debí dejar de tomarla.

–Probablemente –responde, maligno y enigmático; se regodea en darme información imprecisa, o desconcertante.

–¿Matar a quién? –le imploro con suavidad.

–¿A quién va a ser? –contesta él igualmente sedoso, sádico.

Me pone un brazo sobre el hombro y me lleva hacia el pequeño salón del fondo del local. Veo las mesitas y los asientos bajos, la precariedad de la decoración evidente en cada detalle. Aquí transcurrió el apasionado, breve y oscuro idilio entre Miguel y Petra. Tal vez por la sugestión del escenario, siento una repentina invasión de vacío en el estómago. ¿Quién merodea, pegado a las paredes en forma de recuerdos deformados? En una esquina hay una mesita con un ordenador; el Slogan, como tantos bares, tenía a disposición del público una conexión a Internet. De la pantalla proviene la leve luz azul que me llamó la atención al entrar.

–Ahora nos conectaremos –señala Miguel al teclado, adelantándose de nuevo a mi cuestión no formulada.

Pero primero me lleva hasta el baño, abre amablemente la puerta y me invita a precederle. Entramos, nos colocamos ante el espejo. El agotamiento de las noches en vela, el vestuario sucio, igual incluso en las manchas de sangre seca y, en el caso de Miguel, el alcohol, confieren a nuestro aspecto un aire desastrado y misteriosamente similar.

–Cuánto hemos pasado juntos... –susurra Miguel, volviendo a ponerme la mano sobre el hombro. Ha hablado de matar, pero no percibo amenaza alguna, al menos contra mí. Y siento como propia su extraña melancolía. Me mira, o mira a mi reflejo en el espejo, con cariño verdadero, repentinamente conmovido, con ese amor primitivo del borracho cuyas percepciones sentimentales se hallan distorsionadas por el alcohol, pero no por ello son menos hondas y sinceras. Sin embargo, no olvido que ha hablado de matar, y me angustia con intensidad creciente el recuerdo de nuestra inexplicada duplicidad con los prismáticos, en la playa.

–«Lo peor es un loco que cree real el mundo que ha imaginado», ¿no era así? –dice; he tenido ese pensamiento hace un instante–. ¡Míranos! Tú y yo... Hablaba, antes de que me interrumpieras, del deseo. De Petra y del deseo. Decía que me obsesioné con ella, igual que tú con Amparo. Reaccionamos con virulencia similar ante nuestras respectivas pérdidas. Es lógico, ¿no? Las mismas respuestas emocionales. Pero fuimos uno en contra del otro. Tú, tratando de dejar de beber; y yo, ansioso por forzarte a hacerlo porque cuando tú bebías yo vivía. Trenes en dirección contraria, una sola vía. Pero mientras luchábamos uno contra el otro, las dos se fueron. Diez años de lucha, nada menos. Y por fin estamos ante el final.

¿Diez años?

–Diez, Miguel. Lo sabes muy bien. Basta ya de esconderte al fondo de tu realidad falsa. La recaída que te provoqué fue para Amparo la gota que colmó el vaso, en la primavera de 2005. Te dejó por imposible. Nos dejó. A mí, claro, me hizo feliz marchándose. Pude beber en libertad, disfrutar de la vida, arrastrarte hasta hacerme con las riendas del poder sobre nuestro cuerpo común. Aunque nunca imaginé el precio. Lo cierto es que siempre fui irresponsable, más aún que tú. Por eso lo estropeé todo. Lástima de Nocturno... Una idea de cómic maravillosa; en la que, por cierto, reconozco que Amparo y su talento tuvieron mucho que ver. Pero Nocturno jamás existió. Nunca pasó de las servilletas de papel, o de los folios que emborronábamos, a veces tú y a veces yo, según la bebida que hubiera por medio. Nocturno era nuestro entretenimiento en las largas horas de soledad necesarias para acabar por sumar diez años. Soledad en las clínicas primero, una tras otra, y en los hospitales públicos después, y en las casas de acogida al final... Y soledad fuera, en la calle, cuando estábamos libres, si se puede llamar así. La peor soledad, sin amigos ni simples conocidos. Nadie quiere hablar con un borracho terminal que balbucea, carente de todo rumbo. Queda la soledad de hablar con las paredes, o con otro espectro igual que tú al que conoces en el banco de cualquier parque. Es eso lo que no calculé. Este pobre monstruo que soy yo también fue arrasado por la que había sido su fuente de felicidad. Me hice adicto a ella, alcohólico sin remedio. Y cuando ya estaba por completo atrapado, comenzó a destruirme. La gente no calibra la infelicidad de los monstruos. ¿Por qué nos apartan como si fuéramos asesinos feroces, o devoradores de carne humana? Apenas somos animalitos desvalidos, perdidos en este mundo que nos escupe a la cara, que nos empuja con antorchas al otro lado de las murallas que salvaguardan la ciudad pura y limpia. El alcohol me empezó a vampirizar, igual que antes te había vampirizado yo a ti. Comenzaron los problemas de salud, me lo advertían cada vez con más severidad los médicos de guardia de los lugares donde nos ingresaban; lo digo en plural porque tú también venías conmigo, aunque ya fueras una sombra que solo revivía tras las obligadas abstinencias, en todas aquellas salas de hospital. Siempre acababan por devolvernos a la calle. Y allí, a pesar de que pensabas en ocasiones la posibilidad de rehacer tu vida, lo ciclópeo y desesperante de tal aventura imposible nos llevaba otra vez a beber.

–Pero Nocturno, todo el dinero que dio...

–Sabía que a esto te ibas a resistir –suspira Miguel, y abandona el baño, invitándome con un gesto a seguirlo.

A solas, me miro al espejo. Veo a un despojo cansado de sí mismo, roto por dentro y por fuera, y siento una oleada de pánico. De pronto me urge la compañía de Miguel. Cualquier compañía, con tal de no estar solo, dentro de este hombre que me mira desvalido desde el espejo, y salgo aprisa, reprimiendo el impulso asustado de llamarle a gritos.

–¡Miguel! ¡Miguel!

En el salón, lo encuentro ya sentado ante el ordenador. Me acerco, me instalo junto a él. En la pantalla, veo la página de inicio del buscador. Miguel ha tecleado en la ventanilla de rastreo las palabras: «Cómic. Nocturno. Miguel Ariza».

–¿Pulso «enter»? ¿Te atreves? –pregunta. El dedo sobre la tecla parece listo para desencadenar una guerra nuclear. La yema acaricia la superficie plana, Miguel me mira–. ¿O admites la verdad? Nocturno jamás vio la luz. Todas sus aventuras, igual que su éxito y su prestigio, su repercusión internacional y sus premios, existieron únicamente en tu cabeza, y también en la mía. Soñábamos, eso sí te reconozco que era bonito, con sus oscuras historias de amor, que habrían de definir, así lo suponíamos, una nueva vanguardia narrativa. Pero nunca las llevamos a cabo. Lo único que en este tiempo ha publicado Miguel Ariza fue aquel libro colectivo que un día feliz de tu juventud fuiste a comprar con Amparo, a la Casa del Libro de la Gran Vía.

–Hay siete tomos con las obras completas de Nocturno...

–No, solo aquel librito colectivo... Y los dibujos de una revista pornográfica barata, que firmabas con seudónimo hasta que dejaste de cumplir y te echaron, hace cuatro años. Luego hiciste, o hicimos, si lo prefieres, trabajillos de todo tipo: caricaturas en los bares a cambio de bebida, entrega de publicidad a domicilio. Hace tres años cometimos el error de hipotecar a un usurero nuestra casa, que habías comprado en un lejano momento de lucidez con el dinero que heredaste de esos padres que no recuerdas. La perdiste, y el juzgado te echó a la calle hace casi tres semanas, nos echó a los dos. Todas las noches hemos acudido al portal, incrédulos y llenos de desesperación, asustados. Tu casa ya no era tu casa. Los vecinos entraban y salían con naturalidad del portal, algunos ni siquiera se habían enterado de que los empleados del juzgado habían hecho efectivo el desahucio. Era ilegal utilizar la llave que absurdamente seguías llevando en el bolsillo, junto al Batman en miniatura. ¿Recuerdas que visitaste al nuevo dueño en su oficina de usurero? Suplicaste que te diera otra oportunidad, que te devolviera tu casa. Llamó a la policía, ¿no te acuerdas? Estabas borracho y cuando, por supuesto, no se avino a tus deseos, le amenazaste. Llevabas, llevábamos, dos días durmiendo en la calle. A la gente le da igual, ambos lo pudimos comprobar. Te miran, pasan aprisa para que no les contagies tu mala suerte. ¿Qué médico te dijo que te atraían los mendigos porque temías convertirte en uno de ellos? Una noche te armaste de valor, yo te ayudé a ello incitándote a beber. A la segunda botella de vino era yo quien dirigía la operación. Odiábamos al usurero, y decidimos retarle, o lo decidió el alcohol. Entraríamos en nuestra casa y nos instalaríamos allí aunque fuera ilegal. Compramos, con lo último que nos quedaba, dos o tres botellas de licor y abrimos la puerta del portal, subimos las escaleras, llegamos ante la puerta. Acercamos la llave a la cerradura, veo por tu expresión que empiezas a recordarlo todo, o a aceptarlo. Pero la llave no entró. El cabrón había cambiado la cerradura, ¿recuerdas? Nos pareció lógico que lo hubiera hecho. Pero ese fue el fin. El terror.

–El fin, el terror... –me oigo decir en voz baja. ¿O lo ha dicho Miguel?

Recuerdo, fragmentado, mi descenso por las escaleras del edificio a oscuras, saliendo a la calle para dormir en la estación de Atocha, hace un día. ¿O un año? ¿Antes o después?

–Después –me aclara Miguel–. Lo de Atocha fue ayer; y lo otro, el desahucio, el fin, el terror... fue dos semanas antes. Tras bajar aquellas escaleras por última vez, nos quisimos matar bebiendo. No sé quién de los dos tomó la decisión, pero el otro la aceptó. Fue firme y unánime. Teníamos las voluntades hermanadas al cien por cien, como nunca antes. En un banco, en plena calle, sin otro sitio donde refugiarnos, nos tomamos aquellas botellas de licor. Ávidamente, para reventar de una vez el cuerpo común donde los dos éramos infinitamente desgraciados.

–El cuerpo en el que ya no queríamos seguir viviendo...

–¿Ves cómo vas recordando, admitiéndolo? Pero no sería tan fácil, matarse no lo es. Despertamos en un hospital, hace diez o doce días de eso. La pierna derecha nos dolía a los dos, habíamos sufrido uno de esos golpes que no recuerdas al día siguiente. Una mordedura de la rata rabiosa. Tal vez esta cojera ya no se cure, según dijeron. Hacía falta un tiempo de reposo absoluto, y no se lo hemos concedido. No teníamos dónde reposar. Ese día en el hospital, a solas por la noche, fue cuando sentiste toda la angustia por la pérdida del llavero. Las mentes se extravían ante la adversidad. La tuya no asimiló la miseria terminal de la realidad alrededor. El ingreso fue contra tu voluntad, y por supuesto contra la mía. Habías sufrido un ataque de epilepsia en plena calle, provocado por las dos botellas de licor. No llegaron a matarte, solo te provocaron ese ataque que luego se reproduciría en la ambulancia. Por fin el *delirium tremens* que tanto se había hecho esperar, o que tanto habíamos buscado y merecido desde tiempo atrás. Empezaste una convalecencia a cuenta de la sanidad pública, en un lugar donde ya habías, habíamos estado recluidos en anteriores ocasiones. Por la abstinencia obligada, yo estaba adormilado y relativamente a salvo de pensamientos negros. Pero puedo imaginar cómo te sentías tú. Tras haber perdido el último refugio de tu casa, te hallabas literalmente en el final del camino. Solo y perdido, sin vuelta atrás, sin recursos de ningún tipo. Las manos temblorosas de un dibujante que nunca había dibujado, eras eso y nada más que eso. Nuestro cuerpo estaba muy maltratado, con el hígado seriamente dañado y otras dolencias graves. Y aun así te quedó un resto de valor, hay que reconocerlo. Cuando el médico te propuso la intervención pensaste que podía entrañar una oportunidad de salvación y aceptaste. Te insertaron en la ingle unas plaquitas de reacción antialcohólica de reciente aparición en el mercado, cuarta o quinta generación de una fórmula que ya existía en forma de pastillas. Si bebías tras haberlas ingerido se producía una brutal reacción química de náuseas y malestar, literalmente el paciente creía morir. De hecho, lo habías probado en el pasado, aunque sin éxito. Cuando tenías necesidad de beber no las tomabas, y por tanto no podían hacerte efecto. Pero ahora sería distinto, con la pócima dentro del cuerpo no beberías. Por supuesto, como tantas veces, nadie contó conmigo. Y en ese punto te encontrabas, improbable recuperación de la salud y aterradora incertidumbre por tu futuro, cuando irrumpió en tu vida un suceso totalmente azaroso: viste en la tele la enfermedad de Amparo Sanz Valles, la mujer a la que una eternidad atrás amaste. Y te aferraste a ello para huir de la realidad. Fue la gota que precipitó tu delirio: inventaste un entorno que no existía ni había existido nunca. En él, tú estabas curado desde mucho tiempo atrás, eras el dibujante de éxito que siempre soñaste ser, y Amparo te amaba tanto como tú a ella. Ese amor sublime de ficción era la última esperanza, y en su busca absurda huiste del sanatorio. Y yo contigo, claro. Feliz ante mi inminente reinado. Ya sabes que resurjo cuando estoy libre, que me manifiesto en forma de sed imparable apenas intuyo que puedo beber. Por supuesto, sabía el estado lamentable de salud física en que tú y yo nos hallábamos, eso no tenía marcha atrás para ninguno. Íbamos a morir. Vamos a morir, Miguel querido... Estos son nuestros últimos días, o nuestras últimas semanas, o nuestros últimos meses. La palabra *años* no existe ya. Y por eso, sabiéndolo, lo mismo que tú buscaste desesperadamente a Amparo, yo busqué a Petra. Sabía que no la encontraría, que conociéndola era imposible que tantos años después estuviese por aquí, por Madrid. Pero tenía que intentarlo, igual también que has hecho tú. La última oportunidad. O simplemente, llenar el tiempo que nos resta con la esperanza más hermosa de nuestras respectivas vidas: Amparo y Petra. Las dos, inalcanzables.

Mi nombre y el de Nocturno siguen escritos en la pantalla, aunque hace un rato que Miguel ha apartado el dedo de la tecla. Parece ensimismado y triste, asustado por los pensamientos negros que tal vez ve en el interior de la botella que sostiene. Alcohol blanco, transparente e inconcreto;

podría parecer agua, ser vodka o ginebra; rebasado cierto punto, da igual...

–Cogí una cuchilla de afeitar y abrí los puntos de sutura de la ingle. Necesitaba arrancarnos la plaquita envenenada –dice, bajando la vista hacia la mancha rojo oscuro del pantalón sobre la ingle–. Fue doloroso. Todavía lo es, ¿verdad? Pero pude beber, y esa libertad me dio ánimo para moverme por la ciudad como siempre. Robé una cartera, nunca habíamos llegado a eso ni tú ni yo. Dinero en efectivo y tarjetas de crédito. Supongo que a estas alturas ya estarán invalidadas, pero nos han dado para llegar hasta aquí...

En este punto me mira a los ojos, y mantiene una pausa alargada antes de añadir:

–La he matado. He matado a Amparo.

Miguel me mira, intentando escrutar mi mente. Pero no puede captar mis pensamientos porque no se producen. Estoy en blanco.

–Es lo justo, ¿no? –continúa–. ¿Por qué a ella sí tenía que salirle todo bien? Destruyó mi vida. Y, por cierto, también la tuya. Míranos a los dos...

Reacciono vagamente, en alguna parte al fondo de mi cabeza. Miente, o se inventa las cosas. Está loco. Vi cómo te ibas nadando, y luego en la lancha hacia el barco.

–¿Loco? ¿Eso crees? –vuelve a irrumpir en mi razonamiento–. ¿Quién te dice que el loco no eres tú? ¿Que la verdadera invención no es verla nadar hacia la lancha? A veces imagino que Amparo no interfirió en mi vida, aquella Navidad maldita. Yo habría seguido con Petra, dominando en mi vida y en nuestro cuerpo, porque soy más fuerte que tú. Mi existencia habría sido otra, puede que feliz... Vine hasta la playa con la convicción de que tenía que vengarme. El niño y la criada jugaban, alejados de ella. Hablamos, la escena fue muy parecida a la que tú recuerdas. De hecho fue la misma, excepto por su final. Me contó lo mismo que a ti. Sus mentiras, su falsa muerte, su nueva vida rica y feliz, riéndose de todo el mundo. ¿Por qué, pensé, no hacer aquí y ahora un poco de justicia? Y la ahogué en el mar. Me vengué de ella y de paso de ti, que le hiciste caso...

–¿De mí?

–Por supuesto, amigo. Por mucho que te quiera, por mucho que simpatice contigo... Tú te doblegaste a sus imposiciones. Pero tal vez sin ella habrías llegado a ser el dibujante que crees que has llegado a ser. Fuiste un cobarde.

–Ella era lo más importante.

–Mentira, te lo dices para seguir viviendo. Pero Amparo nunca te quiso, fuiste para ella un amante de segunda perdido en el olvido, a ver si te enteras de una vez. Indeciso y mediocre, además de borracho. Por eso se fue. No entrabas en sus planes de ambición. Nunca entraste. Dudas de mis palabras, ya sé... La duda siempre ha sido la base de tus actos. La duda va a ser mi venganza y tu castigo. Porque ¿qué pasaría si yo ahora te hiciera dudar? ¿Si te dijera que en realidad no he matado a Amparo? Qué martirio para tus últimos días de borracho terminal, privado de memoria, ¿no? Bonita pregunta: ¿he matado a la mujer que amo o no la he matado?

–¡La he visto nadar hacia la lancha! –levanto la voz, grito. Es mi única arma. Mi convicción carece de otra fuerza.

–¡Crees! Crees haberla visto nadar hacia el barco, pero ¿seguro que no la has ahogado? Desde que huiste, desde que huimos, todo ha sido una alucinación. La revisión de tu vida, igual que les pasa a todos los que mueren, como vamos a hacer tú y yo en unos pocos días. Dime, ¿qué es más cierto? ¿Cuál es la verdad más grande, más innegable? ¿Que viste a Amparo nadar hacia la lancha? ¿O que yo la maté? La maté con tus manos, Miguel. Esa es una manera de verlo. La otra sería que la mataste tú, pero impulsado por mi corazón, por mis recuerdos y mi odio. De una u otra forma, con estas manos alrededor de su cuello, sumergiendo su cabeza bajo el agua hasta que se abandonó y quedó flotando desnuda. Como en su sueño, ese que describe al final de *Televisión y sangre*. Con estas manos, Miguel...

Y las eleva ante mí, girándolas despacio en sádica exhibición. Manos de viejo borracho que una vez sirvieron para dibujar, envueltas ahora en tiras sucias, sanguinolentas, arrancadas de un mantel con puntillas.

Miro mis manos, las comparo con las suyas. Las sostengo ante mí y las giro, las contemplo. Idénticas a las suyas. Manos de viejo que una vez dibujaron para ti, envueltas ahora en tiras sucias, sanguinolentas, arrancadas de un mantel con puntillas.

Las apoyo sobre la superficie de la mesa, ante la pantalla del ordenador donde parpadean las palabras «Cómic. Nocturno. Miguel Ariza». Mi diestra roza el teclado, el índice se apoya sobre la tecla «enter». Estoy a solas ante la opción de pulsarla o dejar de hacerlo. La gota del grifo de cerveza golpea contra el fregadero con puntualidad exacta. Si fijo mi atención en el sonido que produce, parece retumbar con fuerza creciente, invadir el espacio, rodearme. Nocturno, tras la partida de Berta Müller, decidía dejarse llevar por la inercia de la propia muerte. Como él, dejo caer los brazos. Los separo de la mesa, me pongo en pie ante el ordenador, me aparto de la pantalla. Sé de sobra que hay cientos de entradas sobre Nocturno en la red. ¿Por qué habría de comprobarlo? ¿Solo para darle esa pequeña victoria a Miguel?

Ha desaparecido de mi lado. Debe de hallarse en la barra, junto a la puerta. Se ha largado olvidando su botella mediada de vodka o ginebra; alcohol blanco, pasados unos cuantos tragos da igual de cuál se trate. La agarro y la llevo conmigo hacia el exterior.

Busco a Miguel sin encontrarlo. Me niego a llamarlo a voces. Sería otra victoria suya, y rompería el denso silencio en el que ha transcurrido nuestra larga conversación.

Extiendo mi mano hacia el pulsador del grifo de cerveza. Mediante un golpe seco, lo cierro bien. La gota suena otras tres o cuatro veces, débiles y espaciadas, y muere. Descubro entonces que era ella, con su ritmo inalterable, la que hacía soportable el silencio del Slogan. Ahora me angustia, apresa mi estómago y me empuja hacia el exterior.

Abro la puerta, me encorvo para cruzar el cierre metálico y, tras hacerlo, lo cierro empujándolo hacia abajo primero con la mano y luego con el pie, hasta que choca contra el suelo.

Sé, antes de girarme, que estoy de nuevo en tu playa. Son los instantes previos al amanecer. Petra y Miguel se besaron por primera vez junto al mismo cierre, en otro lugar. En un momento del tiempo sobre el que ambos discrepamos, hace diez años para él, hace unos meses para mí. Cuando te fuiste.

No sé por qué las playas, alegres y vivas durante el día, bajo la luz del sol, resultan tan sombrías antes del amanecer. Solo veo masas difuminadas, inconcretas, y el rumor de las olas parece la respiración de un moribundo, una agonía dispuesta a alargarse y permanecer, alargarse y permanecer, indiferente a quien camina por la arena.

Me aproximo a la orilla. Miguel no está a la vista, aunque lo siento conmigo. Se ha ido para siempre, pero ya no se irá nunca.

Doblo las rodillas, me siento ante el mar como un buda yonqui, agotado, vestido con ropas sucias. El agua me moja los zapatos y el pantalón cuando las olas suben playa arriba, y me mancha de arena húmeda al regresar marcha atrás. En el bolsillo de la camisa descubro una hoja de papel hecha una bola. Parece el dibujo que hice para ti en Atocha, Nocturno hundido en una estación de tren desierta. Caigo en la cuenta de que ahí, en la estación de Atocha, nos conocimos oficialmente, hablamos por primera vez. Mismo lugar, principio y final. Creí que habías arrojado el dibujo a las olas, tras hacerlo una pelota. Tal vez no lo hiciste, o tal vez lo recogí sin darme cuenta. Lo extiendo con dedos torpes.

En el dibujo, Nocturno no está en la estación, sino en pie, con los hombros caídos y la cabeza gacha, ante el mar, en la orilla de una playa igualmente solitaria. Un barco se aleja en el horizonte. ¿Cuándo lo dibujé? ¿O sería Miguel? Mis dedos pueden llegar a dibujar a Nocturno solos, sin necesidad del concurso de la mente.

Soy yo quien ahora hace una pelota con el dibujo. Lo arrojo al mar. La primera ola lo arrastra hacia adentro, donde flotan unos restos de tela a los que dan color las primeras luces, todavía débiles, del amanecer. ¿Me equivoco o es el mismo blanco del vestido que te quitaste antes de nadar desnuda hacia la lancha?

Según Miguel yaces en el fondo, a pocos metros de la orilla.

Según Miguel te he matado yo, con mis manos.

Según Miguel él y yo somos el mismo, enzarzados en una lucha permanente dentro del mismo cuerpo.

Pero lo único irremediablemente cierto es que no tengo adónde ir. Estoy en el escenario final, el último de mi vida. No porque vaya a morir en este instante, sino porque sé con claridad que no hay dónde huir después. Carezco de fuerza para buscar, para ponerme en pie y decidir.

El agua salada me acaricia la ingle, noto escozor en el lugar donde Miguel se cortó con la cuchilla para extraer las plaquitas antialcohol. Tal vez es su forma de recordarme que tengo una botella en el bolsillo. La saco, la observo.

Los elementos esenciales de mi vida –tú, el alcohol, el dibujo– están ahora aquí. Aunque a ti, sea de una forma u otra, sea viva y resplandeciente o sea ahogada, te ha llevado el mar, como al dibujo que ya ha debido desintegrar el agua en movimiento.

Pero la botella permanece.

Parece una frase de Miguel.

–¿Estás aquí?

Pregunto en voz alta. Me raspa la garganta, tengo que carraspear. Solía ocurrirme cuando bebía a solas durante días, pensando mucho pero sin hablar con nadie.

Miguel no contesta. Puede que duerma. Cuando yo no bebía él dormía, eso ha explicado.

Ahora que de una u otra forma te has ido para siempre, Miguel es mi única compañía sobre la tierra. He perdido todo lo demás, lo veo con nitidez en este escenario terminal.

–¡Miguel! –llamo sin obtener respuesta.

Callo, angustiado de pronto por el miedo. ¿Y si se hubiera ido de verdad? Lo único que nos mantiene en pie son los otros, los que nos aman, y él me amaba, dijo que a pesar de todo me amaba.

No puedo permitirlo. Tengo que luchar contra la soledad. Me pongo en pie, repentinamente animoso, o asustado ante la derrota. Sé cómo vencer. Sé cómo hacer que mi único amigo regrese.

Me pongo en pie con cierta solemnidad, a pesar del cansancio de días, a pesar del dolor en la pierna y el escozor creciente en la ingle. Elevo la botella hacia el sol que comienza a elevarse sobre el mar y doy un largo trago.

El alcohol no me quema; extraño, pensé que tras mi larga abstinencia el primer trago me abrasaría las entrañas. Tal vez, en cualquier momento de estos intensos días buscándote, haya bebido antes.

No quema, pero otorga vida, lucidez, decisión.

Sé lo que debo hacer.

Me pongo en pie. Vuelvo hacia el pueblo en busca de mi amigo, y como homenaje a él doy otro trago. Me siento aún mejor, inspirado. Casi podría ponerme a dibujar. Puede que lo haga.

Al poco, me encuentro recorriendo las callejuelas del pueblo. Todavía no se ve un alma, apenas ha empezado el día.

Ya no te tengo, amor, y tu ausencia me regala un pensamiento. Una idea que me empuja a dar otro paso, y luego otro más, y luego el siguiente.

Buscaré a Miguel para no estar solo. Y cuando lo encuentre, le ayudaré en su aventura de buscar a Petra. Hay que luchar por la felicidad de nuestros amigos además de por la nuestra propia, pienso mientras alzo otra vez la botella.

La vacío y la deposito con cuidado en el suelo, sin hacer ruido.

Luego me pongo en pie, inspiro hondo y camino resueltamente hacia ninguna parte.

Índice

Las Mil y Una Noches

3466024

Cuentos maravillosos, fábulas de animales, historias de amor, relatos de crímenes, narraciones picarescas, literatura de viajes, cuentos de carácter didáctico, novelas de caballería, etc., son sólo algunos de los materiales que forman el texto íntegro de *Las Mil y Una Noches*, uno de los libros más maravillosos de la literatura universal. Julio Samsó ha incorporado a esta antología, de la que también es traductor, las muestras más interesantes del mismo, entre las que no pueden faltar los viajes de Sindbad el Marino, así como otros relatos llenos de prodigios, exotismo y sabiduría oriental.

Bram Stoker

Drácula

3466023

Leyenda llevada al cine en numerosas versiones y secuelas, *Drácula* es una novela que sintetiza de forma inigualable varias de las más profundas pulsiones del ser humano –la vida, la muerte, la sexualidad– en sus más diversas y ambiguas manifestaciones, como el bien y el mal, la luz y las tinieblas, la entrega no deseada pero irresistible, para alumbrar finalmente un relato fascinante que es un clásico indiscutible de la literatura de terror.

Virginia Woolf

La señora Dalloway

3466022

Novela en la que se inspiró la película «Las horas», protagonizada por Meryl Streep, Julianne Moore y Nicole Kidman, *La señora Dalloway* relata un día en la vida de una mujer de la clase alta londinense desde el punto de vista de una conciencia que experimenta con plena intensidad cada instante vivido, en el que se mezclan sentimientos, pensamientos y emociones y se condensan el pasado, el entorno y el presente.

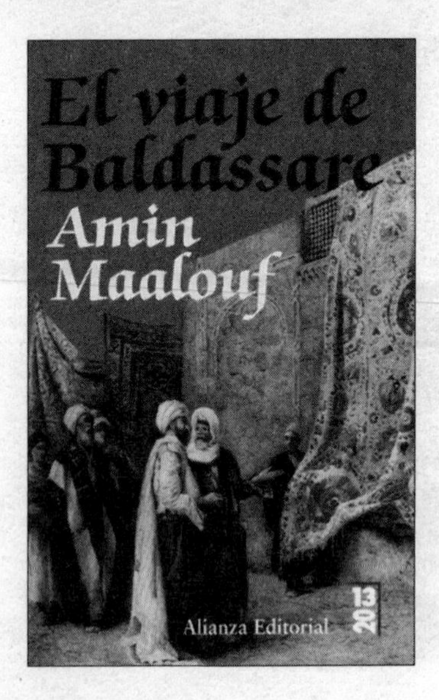

Amin Maalouf

El viaje de Baldassare

3466021

Corre el año de 1666, año del Anticristo y, para muchos –agoreros, iluminados–, el del fin de los tiempos. Descendiente de genoveses afincados en el Líbano, Baldassare Embriaco no logra sustraerse al clima generalizado de inquietud y emprende un viaje en busca de un libro que puede servir de protección en caso de que sobrevengan las catástrofes que se anuncian. El viaje de Baldassare llevará a éste por el Mediterráneo hasta Londres, y en su transcurso le saldrán al paso el miedo, el engaño y la desilusión, pero también el amor.

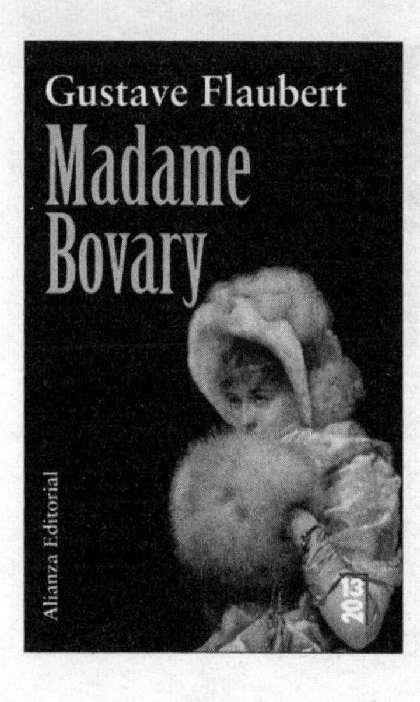

Gustave Flaubert

Madame Bovary

3466020

Considerada unánimemente una de las mejores novelas de todos los tiempos, *Madame Bovary* narra la oscura tragedia de Emma Bovary, mujer infelizmente casada, cuyos sueños choca cruelmente con la realidad. Al hechizo que ejerce la figura de la protagonista hay que añadir la sabia combinación argumental de rebeldía, violencia, melodrama y sexo, «los cuatro grandes ríos», como afirmó en su día Mario Vargas Llosa, que alimentan esta historia inigualable.

Gerald Durrell

Mi familia y otros animales

3466019

El original estilo de Gerald Durrell, que combina el retrato de gentes y lugares, la autobiografía y el relato humorístico, explica el gran éxito obtenido desde el día de su publicación por *Mi familia y otros animales*, que presenta una ágil y graciosa galería de personajes: Larry –el futuro autor del "Cuarteto de Alejandría"– y sus estrafalarias amistades, mamá Durrell y su inagotable sentido común, Spiro –el corfuano angloparlante– y toda una serie de animales retratados como sólo puede hacerlo quien a lo largo de toda una vida los ha tratado con inteligencia y ternura.

Tariq Ali

Un sultán en Palermo

3466017

Año 1153, los normandos gobiernan Sicilia (Siqilliya), pero la isla está impregnada de la cultura y la lengua árabes. Palermo, la capital, es una ciudad musulmana que rivaliza en tamaño y esplendor con Bagdad y con Córdoba. La corte del sultán Ruyari, el rey normando Roger, está formada por hombres de letras musulmanes, concubinas de todo tipo y hábiles eunucos que controlan la administración del reino. La situación y la decadencia de la corte, no obstante, encrespan a los obispos, que aspiran a hacerse con el poder. *Un sultán en Palermo* es una magnífica novela histórica en la que el orgullo y la codicia humana se entrecruzan con la nobleza y la grandeza de espíritu.

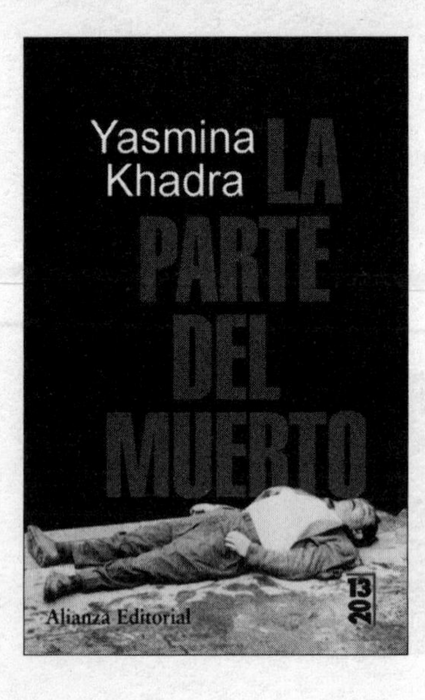

Yasmina Khadra

La parte del muerto

3466018

Un peligroso asesino en serie es liberado por una negligencia de la Administración. Un joven policía disputa los amores de una mujer a un poderoso y temido miembro de la *nomenklatura* argelina. Cuando este último sufre un atentado, todas las pruebas apuntan a un crimen pasional fallido. Pero no siempre lo que resulta evidente tiene que ver con la realidad. Para rescatar de las mazmorras del régimen a su joven teniente, el comisario Llob emprende una investigación del caso con la oposición de sus superiores.